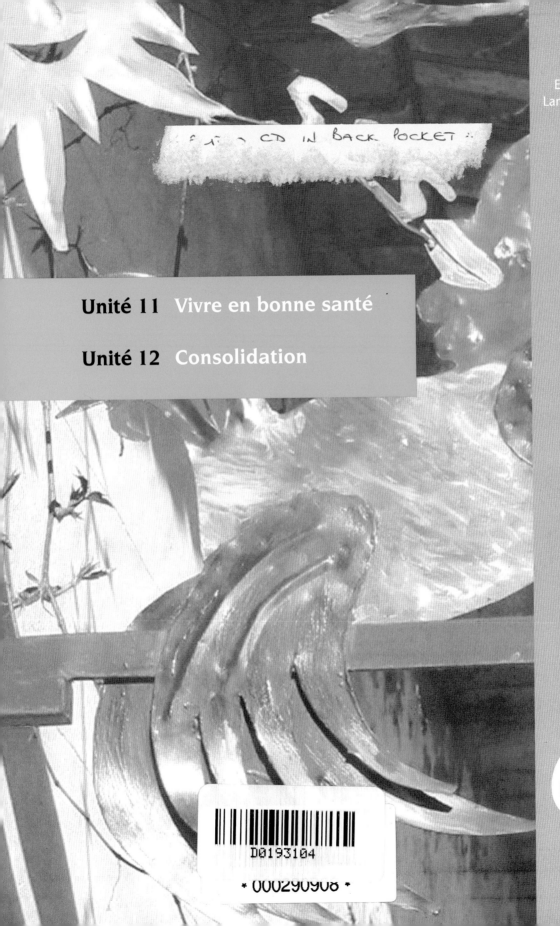

The Open University

Education and Language Studies: level 1

BON DÉPART

6

CD IN BACK POCKET

Unité 11   Vivre en bonne santé

Unité 12   Consolidation

This publication forms part of the Open University course L192/LZX192 *Bon départ: beginners' French*. Details of this and other Open University courses can be obtained from the Course Information and Advice Centre, PO Box 724, The Open University, Milton Keynes MK7 6ZS, United Kingdom: tel. +44 (0)1908 653231, e-mail general-enquiries@open.ac.uk

Alternatively, you may visit the Open University website at http://www.open.ac.uk where you can learn more about the wide range of courses and packs offered at all levels by The Open University.

To purchase a selection of Open University course materials visit the webshop at www.ouw.co.uk, or contact Open University Worldwide, Michael Young Building, Walton Hall, Milton Keynes MK7 6AA, United Kingdom for a brochure, tel. +44 (0)1908 858785; fax +44 (0)1908 858787; e-mail ouwenq@open.ac.uk

The Open University
Walton Hall, Milton Keynes
MK7 6AA

First published 2005. Reprinted with corrections 2006.

Edited, designed and typeset by The Open University.

Printed and bound in the United Kingdom by CPI, Glasgow.

ISBN 0 7492 6529 9

1.2

Contents

L192 course team

Open University team

Ghislaine Adams (course manager)

Liz Benali (course manager)

Graham Bishop (author)

Viv Bjorck (course team secretary)

Ann Breeds (course manager)

Michael Britton (editor)

Neil Broadbent (course team chair and author)

Dorothy Calderwood (editor)

Valérie Demouy (author)

Annie Eardley (author)

Xavière Hassan (author)

Elaine Haviland (editor)

Stella Hurd (course team chair and author)

Marie-Noëlle Lamy (author)

Tim Lewis (course team chair and author)

Susan Lowe (editor)

Hélène Mulphin (course team chair (planning stage) and author)

Linda Murphy (critical reader)

Liz Rabone (lead editor)

Sean Scrivener (editor)

Lesley Shield (author)

Pete Smith (author)

Production team

Ann Carter (print buying controller)

Jane Docwra (production administrator)

Gary Elliott (production administrator)

Janis Gilbert (graphic artist)

Pam Higgins (designer)

Siân Lewis (designer)

Tara Marshall (print buying co-ordinator)

Theresa Nolan (production assistant)

Jon Owen (graphic artist)

Deana Plummer (picture researcher)

Natalia Wilson (production administrator)

Consultant authors

Kate Harvey-Jones

Marie-Claude Jourzac

Mary Culpan

Christine Brunton

Béatrice Le Bihan

Claire Ellender

Christine Arthur

Sophie Timsit

Anna Vetter

BBC production team

Kate Goodson (producer)

Dan King (editor)

Marion O'Meara (production assistant)

External assessor

Elspeth Broady (principal lecturer, School of Languages, University of Brighton)

Special thanks

The course team would like to thank everyone who contributed to *Bon départ*. Special thanks go to Philippe Smolikowski, Framboise Gommendy, Christine Sadler and Bernard Haezewindt, who took part in the audio recordings.

11

Vivre en bonne santé

This unit of **B**on *départ* looks at health and well-being. In the first part, you will deal with accidents, injuries and illnesses: you will learn to talk about problems, understand medical advice, enquire after other people's health and give them reassurance. You will also talk more broadly about medicines and health issues, and you will gain insights into the workings of the French national health system. In the second half, you will explore lifestyles and alternative forms of medicine: you will practise giving advice to people who want to

VUE D'ENSEMBLE

Session	Key Learning Points
1	• Talking about accidents and injuries • Talking about parts of the body • Describing how you feel
2	• Giving instructions • Talking about illnesses
3	• Enquiring about other people's ailments • Giving reassurance
4	• Understanding the health system in France • Talking about medicines and health
5	Practising what you have learned so far
6	• Using *sainement, mal, bien*, etc., to qualify verbs • Using *ne ... jamais* with the present and the *passé composé*
7	• Expressing conditions using *si* + present tense • Giving advice using *tu devrais / vous devriez*
8	• Expressing opinions • Referring to people
9	• Forming questions using inversion • Talking about alternative medicine
10	Practising what you have learned so far

Cultural information	Language learning tips
Ça va bien!	
Crise de foie!	
La carte Vitale	
	Using what you have learned
Se soigner autrement	

Session 1

In this session Christine talks to Sylviane about her back injury.

Key Learning Points

- Talking about accidents and injuries
- Talking about parts of the body
- Describing how you feel

Activité 1

Several people describe injuries they have suffered. Match their explanations, below, with the cartoons representing them, opposite.

Associez les phrases aux images.

un marteau
a hammer

une échelle
a ladder

1 Je me suis fait mal au doigt avec un marteau.

2 J'ai fait un barbecue hier avec mes amis. Je me suis brûlé la main.

3 Je suis tombée de mon échelle. Je me suis cassé la jambe.

4 J'ai glissé sur une peau de banane. Je me suis cassé le bras.

5 J'ai le nez cassé. J'ai arbitré un match de boxe hier.

6 J'ai raté la dernière marche de l'escalier. Je me suis fait mal au pied.

Activité 2 🎧 Extrait 1

la rééducation
physiotherapy

tu devrais
you should

1 Listen to Extract 1, in which Christine describes an accident that happened to her. Write down which parts of her body she injured.

Christine, où est-ce qu'elle s'est fait mal?

2 Listen again and indicate which statements are true or false. Correct the false ones in French.

Vrai ou faux? Corrigez les phrases qui sont fausses.

	Vrai	Faux
(a) Christine a eu un accident de ski la semaine dernière.	☐	☐
(b) Elle s'est fait mal au dos.	☐	☐
(c) Elle s'est cassé le bras gauche.	☐	☐
(d) Elle est restée à l'hôpital pendant une quinzaine de jours.	☐	☐
(e) Son bras va relativement mieux.	☐	☐
(f) Elle a rendez-vous chez le médecin aujourd'hui.	☐	☐

In Unit 7, Session 4, you learned how to say something hurts using *avoir mal à* + definite article + part of body:

> *J'**ai mal au** dos.*
> My back hurts. / I've got backache.

> *J'**ai mal à la** tête.*
> My head aches. / I've got a headache.

> *J'**ai mal aux** dents.*
> I've got toothache.

To say you've hurt a part of your body, you can use *se faire mal à* + definite article + part of body:

> *Je **me suis fait mal au** bras.*
> I hurt / I've hurt my arm.

> *Je **me suis fait mal à la** main.*
> I hurt / I've hurt my hand.

To explain more specifically what happened, you can use *se casser / se brûler*, etc. + definite article + part of body. Note that the past participle does not agree with the subject in gender or number.

> *Il **s'est cassé le** nez.*
> He broke / He's broken his nose.

> *Elle **s'est brûlé les** doigts.*
> She burned / She's burned her fingers.

To describe the consequences of an injury, you can use *avoir* + definite article + part of body + relevant past participle:

> *J'**ai le** doigt **brûlé**.*
> My finger is burnt.

> *J'**ai le** nez **cassé**.*
> I've got a broken nose.

Activité 3 Extrait 2

une moto
a motorcycle

en jouant
playing

un plâtre
a plaster cast

une allumette
a match

1   Listen to Extract 2, in which four people talk about accidents they have had. Write down the first question they were asked.

> *Notez la question posée.*

2   Listen again and complete the table opposite, noting in French how each accident happened and what injuries each person sustained. Use the *je* form. Two boxes have been completed for you.

> *Complétez le tableau.*

	Qu'est-ce que vous vous êtes fait?	Comment?
Jacques		
Guillaume		En jouant au rugby.
Marc	Je me suis cassé le bras.	
Annie		

Activité 4  Extrait 3 _____

1 Make statements about your aches and pains.

Dites où vous avez mal.

> **Exemple**
> head   J'ai mal à la tête.

(a) back

(b) feet

(c) teeth

(d) eyes

2 Now describe what happened.

Qu'est-ce qui s'est passé?

> **Exemple**
> hurt / arm   Je me suis fait mal au bras.

(a) hurt / back

(b) hurt / leg

(c) break / tooth

(d) burn / finger

un genou
knee

3 Listen to Extract 3 and speak in the pauses.

Écoutez l'extrait et parlez dans les pauses.

Activité 5 _____

1 Go back to the transcript of Extract 1 and find the French equivalents of the following expressions.

Trouvez l'équivalent français des expressions suivantes.

(a) I'm not well.

(b) My back really hurts.

(c) I often have back pain.

(d) I fell.

(e) I hurt my back.

(f) I broke my right arm.

(g) And is it no better?

(h) My arm is better, yes.

(i) It hurts a little when I write.

(j) How are you?

(k) I'm fine.

2 Using short phrases from Extract 1, provide additional information about Christine's accident.

Complétez les détails.

Exemple

Quel accident? *Mon accident de ski.*

(a) Quand?

(b) Comment?

(c) Conséquences?

(d) Maintenant?

ÇA VA BIEN!

In answer to the questions *Ça va?* or *Qu'est-ce qu'il y a?*, the French normally use the following expressions.

To say they are feeling well: *Je suis en forme. | Ça va bien. | Je me sens bien. | Je vais bien. | Je vais mieux* ('I'm better').

To say they're not feeling well: *Je ne suis pas en forme. | Ça va mal. | Je me sens mal. | Je ne vais pas bien. | Je vais plus mal* ('I'm worse').

Activité 6 Extrait 4

tordu
crooked

grossir
put on weight

1 Listen to Extract 4, in which Mehdi and Sandrine are talking about accidents they have had. Add details about each of them, using phrases as you did in Activity 5 step 2.

Répondez aux questions.

Mehdi:

(a) Type d'accident?

(b) Quand?

(c) Conséquences?

(d) Maintenant?

Sandrine:

(a) Type d'accident?

(b) Quand?

(c) Conséquences?

(d) Maintenant?

2   Now give an oral account of an accident, using the following information. You may wish to record yourself.

Parlez d'un accident.

(a) Accident? Accident de voiture.

(b) Quand? L'année dernière, pendant les vacances.

(c) Conséquences? Jambe cassée, rééducation.

(d) Maintenant? Mieux.

Activité 7

Using some of the structures you've learned in this section, write an account of an accident you had. Use no more than 70 words and the *je* form. If you prefer, you can describe someone else's accident, but still use the *je* form.

Décrivez un accident.

In this session Christine goes to the doctor's.

Key Learning Points

- Giving instructions
- Talking about illnesses

Le Musée Flaubert et d'Histoire de la Médecine, Rouen

Activité 8  Extrait 5

enflammés
inflamed, sore

je tousse
I'm coughing
(here, *I've been coughing*)

j'éternue
I'm sneezing
(here, *I've been sneezing*)

un rhume
a cold

un comprimé
a tablet

1 Listen to Extract 5, in which Christine talks to her doctor. Note down the first thing he says is wrong with her.

Que dit le médecin?

2 Listen again and list the advice he gives her for her cold.

Faites la liste des conseils du médecin.

G 2 Giving instructions

In Extract 5, the doctor uses the imperative to give advice:

> **Prenez** ces comprimés.
> Take these pills.

> **Revenez** me voir.
> Come and see me again.

To revise the imperative, go back to Unit 4, Session 6, G 22 (for the *vous* form) and Unit 9, Session 7, G 12 (for the *tu* form).

With a reflexive verb (see Unit 8, Session 3), remember that in the imperative the *se* part of the verb, such as *toi* or *vous*, comes after the verb:

> **Repose-toi. / Reposez-vous.**
> Have a rest.

You can put a condition on an instruction using a sentence with *si* ('if'):

> **Si** vous n'**allez** pas mieux, **revenez** me voir.
> If you don't feel any better, come and see me again.

> **Si** vous **avez** mal aux dents, **prenez** du paracétamol.
> If you have toothache, take some paracetamol.

Activité 9

1   Complete the following sentences using your own ideas.

Complétez les phrases.

Exemple

Si _____ , prenez de l'aspirine.

Si *vous avez mal à la tête,* prenez de l'aspirine.

(a) Si _____ , prenez du paracétamol.

(b) Si _____ , couchez-vous de bonne heure.

(c) Si _____ , bois un bon grog.

(d) Si _____ , arrêtez de fumer.

(e) Si _____ , dors au moins sept heures par nuit.

un grog
*a hot toddy
made with rum*

2   Now give advice to alleviate the following conditions, using either your own ideas or suggestions from the box below. You can use more than one piece of advice for each scenario.

Donnez des conseils.

Exemple

Si vous avez mal à la tête, _____ .

Si vous avez mal à la tête, *prenez du paracétamol / reposez-vous un moment.*

(a) Si vous avez mal aux dents, _____ .

(b) Si une guêpe vous a piqué, _____ .

(c) Si tu tousses, _____ .

(d) Si tu as de la fièvre, _____ .

(e) Si vous avez mal à l'estomac, _____ .

une guêpe
a wasp

piquer
to sting

tousser
to cough

apaisante
soothing

se mettre à la
diète
*to fast, follow a
light diet*

la toux
cough

> mettre une crème apaisante dessus • se coucher • aller chez le dentiste • se mettre à la diète • prendre un (*or* du) sirop (contre la toux) • se reposer un moment • téléphoner au médecin • prendre du paracétamol

1 While waiting at the doctor's, Christine picks up the leaflet opposite. What is it about? See how much you can understand without using your dictionary.

Lisez la brochure. Quel est le sujet du texte?

2 Find the equivalent of the following expressions in the text.

Trouvez l'équivalent.

(a) Pour ne pas rester tout l'hiver au lit.

(b) Vivez sainement.

(c) Le fait d'être proche des gens.

(d) Pour ne pas tomber malade.

(e) Allez chez votre docteur.

(f) (Elle) ne peut pas être soignée avec des antibiotiques.

3 Find the verbs in the imperative form and translate them into English.

Trouvez les impératifs.

Exemple

Faites-vous vacciner.   _Get yourself vaccinated._

4 Reread the text and make up five sentences with the words given below, using a sentence with _si_ and the imperative.

Faites des phrases.

sucer
to suck

Exemple

avoir – mal à la gorge – sucer – pastilles

Si vous avez mal à la gorge, sucez des pastilles.

(a) attraper – rhume – utiliser – produits pour le nez

(b) avoir – bronchite – boire – liquides

(c) avoir – angine – prendre – boissons chaudes

dépasser
to exceed

(d) température – dépasser 38° – consulter – médecin

(e) symptômes – être sérieux – consulter – médecin

L'hiver apporte avec lui froid, neige et son lot de petits problèmes. Pour éviter de passer l'hiver au lit, voici quelques conseils:

Grippe

La grippe est une infection virale fortement contagieuse. Si vous voulez vous protéger totalement, faites-vous vacciner. Pour prévenir la maladie, maintenez une bonne hygiène de vie et faites de l'exercice.

Rhume et mal de gorge

Le rhume n'apparaît pas seulement en hiver: un adulte en bonne santé fait en moyenne 3 ou 4 rhumes par an. En hiver, c'est plutôt la promiscuité plus forte entre les gens qui contribue à la propagation de l'infection. Pour prévenir la maladie, prenez de la vitamine C régulièrement. Si vous attrapez néanmoins un rhume, armez-vous de patience. Utilisez, si vous voulez, des produits pour décongestionner le nez. Buvez aussi beaucoup d'eau. Pour le mal de gorge, il est souvent sans gravité. Sucez des pastilles et, si votre température dépasse 38°, consultez votre médecin.

Bronchite

La bronchite est difficile à différencier de la grippe et est aussi épidémique. Elle est souvent secondaire et ne peut pas être traitée par des antibiotiques. Reposez-vous et buvez beaucoup de liquides. Comme pour la grippe, si vous avez une bonne hygiène de vie, vous minimisez les risques.

Angine

les amygdales (f.)
tonsils

L'angine est une inflammation de la gorge et des amygdales. Attention! Ne négligez pas les angines qui peuvent générer des complications. Si les symptômes sont sérieux, consultez un médecin. Pour soulager la douleur, buvez des boissons chaudes ou glacées.

Activité 11

Write a short list of suggestions about how to stay healthy. Use phrases with *si* followed by an imperative. Start like this: *'Si vous voulez être en bonne santé...'*.

Écrivez une petite liste de conseils.

CRISE DE FOIE!

Although certain illnesses can be translated literally, what they actually mean to different people varies from country to country. A French person saying *J'ai une crise de foie* only means that they are feeling nauseous and have possibly been sick. This could also have been expressed by saying *J'ai mal au ventre* or *J'ai mal à l'estomac*. If somebody tells you *J'ai mal aux cheveux*, they actually mean they are hung over!

Activité 12 🎧 Extrait 6

Listen to Extract 6 and speak in the pauses.

Écoutez l'extrait et parlez dans les pauses.

Sylviane comes round to see how Christine is. She can tell something is wrong.

Key Learning Points

- Enquiring about other people's ailments
- Giving reassurance

Activité 13 **Extrait 7** _____

le poignet
wrist

1   Listen to Extract 7 and say why Christine has to go to her mother's.

   Pourquoi Christine doit-elle rentrer chez sa mère?

2   Listen again and complete the following questions as you hear them.

   Complétez les questions.

   (a) _____ est-ce que tu dois rentrer?

   (b) _____ est-ce qu'elle a appelé?

   (c) _____ est-ce qu'il y a?

   (d) _____ est-ce qu'elle habite toute seule?

   (e) Il est mort _____ ?

   (f) Elle a _____ âge?

   (g) _____ est-ce qu'elle s'est cassé le poignet?

   (h) Tu pars _____ ?

3   Look at the transcript and memorize Christine's answers to the questions in step 2.

   Mémorisez les réponses de Christine.

4   Now take the role of Christine. Answer Sylviane's questions from step 2 without looking at the transcript.

   Répondez aux questions.

Activité 14 _____

Christine's friends are asking after her mother. Over the page are some of the questions they asked and what she replied. Link the questions and answers.

Reliez les questions aux réponses.

Les Invalides, Paris, ancien hôpital

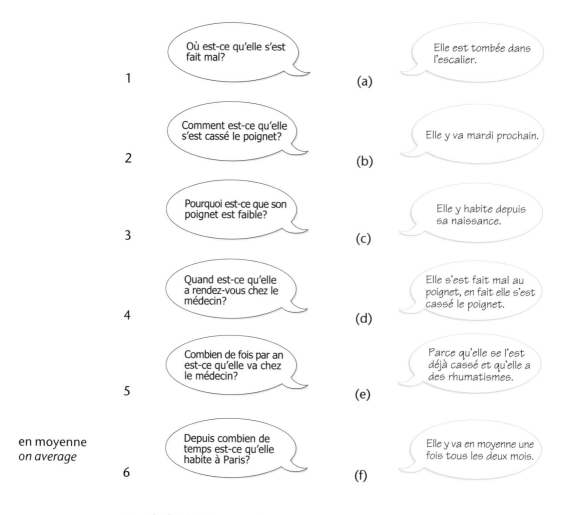

1   Où est-ce qu'elle s'est fait mal?   (a)   Elle est tombée dans l'escalier.

2   Comment est-ce qu'elle s'est cassé le poignet?   (b)   Elle y va mardi prochain.

3   Pourquoi est-ce que son poignet est faible?   (c)   Elle y habite depuis sa naissance.

4   Quand est-ce qu'elle a rendez-vous chez le médecin?   (d)   Elle s'est fait mal au poignet, en fait elle s'est cassé le poignet.

5   Combien de fois par an est-ce qu'elle va chez le médecin?   (e)   Parce qu'elle se l'est déjà cassé et qu'elle a des rhumatismes.

en moyenne
on average

6   Depuis combien de temps est-ce qu'elle habite à Paris?   (f)   Elle y va en moyenne une fois tous les deux mois.

Activité 15

Read the following answers and write down the questions that were asked using *est-ce que...?*

Formulez la question.

Exemple

Question: _____ (*How long for?*)

Réponse: J'ai un rhume depuis plus d'une semaine.

Depuis combien de temps est-ce que vous avez / tu as un rhume?

1   Question: _____ (*Why?*)

Réponse: Ils prennent des vitamines parce qu'ils ne mangent pas assez de légumes. Vous savez, c'est difficile avec les enfants.

2   Question: _____ (*How many times?*)

Réponse: En général, je vais chez le docteur deux ou trois fois par an.

3   Question: _____ (*How long for?*)

Réponse: Je vais chez le même médecin depuis que je suis mariée.

4   Question: _____ (*Why?*)

Réponse: Je fais du yoga parce que je souffre de stress.

5   Question: _____ (*When?*)

Réponse: J'ai commencé le yoga il y a maintenant trois ans.

Activité 16  Extrait 8

1   You are preparing to ask members of the public some questions about health matters. You want to find out the following facts. Draft your questions in French, using the *vous* form.

Formulez des questions.

(a) How long they have had the same doctor.

(b) How many times a year they go to the doctor's.

(c) When they had their last cold.

(d) Whether they have already been to hospital.

(e) Why they went to hospital.

2   Listen to Extract 8 and answer the questions as you wish.

Répondez librement aux questions.

Activité 17 Extrait 7

Listen to Extract 7 again and write down the expressions Sylviane uses to reassure Christine.

Identifiez les expressions utilisées pour rassurer Christine.

G 3   Giving reassurance

To give reassurance, you can use the following expressions:

— *Ce n'est pas grave.* It doesn't matter.

— *Ça ne fait rien.* It doesn't matter.

— *Ne t'inquiète pas. / Ne vous inquiétez pas.* Don't worry.

— *Ne t'en fais pas. / Ne vous en faites pas.* Don't worry.

— *Rassure-toi. / Rassurez-vous.* Don't worry.

Give reassurance to the various speakers below. What might you say to them, using the vocabulary provided in the box?

Rassurez vos amis.

Exemple

Jean a l'air très fatigué.
Ne t'inquiète pas! Il a sûrement trop de travail.

1   Je n'ai pas eu le temps d'acheter un cadeau à ma mère pour son anniversaire.

2   Je suis vraiment très inquiète. Marcel est en retard.

3   J'ai oublié mes sandwiches pour le déjeuner.

4   J'ai raté mon émission de télévision préférée hier soir.

5   Mon ordinateur est encore en panne.

6   Aïe! Je me suis coupé le doigt.

7   Il n'y a plus de thé!

8   Je ne sais pas quoi préparer pour le dîner ce soir.

un sparadrap
*a sticking
plaster*
une fleur
a flower

pouvoir le réparer • beaucoup de circulation • inviter à manger • faire une omelette • un sparadrap • avoir la cassette vidéo • envoyer des fleurs • paquet dans le placard

Session 4

You learn more about the health system in France.

Key Learning Points

- Understanding the health system in France

- Talking about medicines and health

1   Read the text opposite, from a website about the health service in France. List the five topics it deals with in English.

Notez les cinq thèmes du texte.

La Sécurité sociale:

La Sécurité sociale est un programme d'assurance maladie nationale auquel tous les salariés et toutes les entreprises contribuent. On peut aussi faire des contributions volontaires. 99% des Français sont couverts par la Sécurité sociale parce que c'est un droit fondamental garanti par la Constitution. En France, on peut choisir son médecin. S'il est conventionné, c'est-à-dire, s'il a passé un accord avec la Sécurité sociale, ses honoraires vous seront remboursés sur la base de 70%, sur la base de 20 € pour un généraliste et de 23 € chez un spécialiste. Si le médecin n'est pas conventionné, vous n'êtes pratiquement pas remboursé.

Les médecins:

Il existe deux types de médecins: les généralistes et les spécialistes. Un généraliste soigne toutes les maladies courantes et envoie ses patients à des spécialistes, médecins qui ont prolongé leurs études pour mieux connaître une des parties du corps pour traiter des problèmes de santé spécifiques. L'oto-rhino-laryngologiste, par exemple, appelé plus couramment oto-rhino, soigne les problèmes d'oreilles, nez et gorge. Le chirurgien pratique les interventions chirurgicales dans un hôpital.

Les pharmaciens:

Seules les pharmacies sont autorisées à vendre des médicaments. Pour ouvrir une pharmacie, il faut obligatoirement avoir le diplôme de Docteur en Pharmacie. Les pharmaciens peuvent donc vous conseiller sur les médicaments à prendre. Attention, seuls les médicaments achetés sur ordonnance écrite par le docteur peuvent être remboursés. Certains médicaments peuvent être seulement achetés sur ordonnance. Dans une pharmacie, vous pouvez aussi acheter quelques produits de beauté, de premiers soins (coton hydrophile, sparadrap) ou d'hygiène (dentifrice, brosse à dents).

Les médicaments:

Les médicaments sont vendus dans des boîtes ou des flocons préemballés sous forme de comprimés, gélules, suppositoires ou collyre. Le pharmacien peut remplacer un médicament prescrit par un médicament générique moins coûteux de même composition.

L'hospitalisation:

Il existe plusieurs types d'établissements hospitaliers. La qualité des soins est la même partout mais le remboursement varie selon si l'hôpital ou la clinique est conventionné. Il est préférable de se renseigner avant de se faire hospitaliser. Le remboursement est de 80% pour le premier mois pour une maladie (100% ensuite) et de 100% pour une intervention chirurgicale. Il faut pourtant payer un forfait de 10,67 € par jour pour couvrir les frais d'hébergement.

NB: Chiffres valides au 1er janvier 2004.

2   Read the text again and answer the following questions.

Répondez aux questions.

(a) What is the *Sécurité sociale*?

(b) How much would you expect to pay to consult a *généraliste conventionné* (i.e. linked to the state health system)?

(c) What is the French word for an ear, nose and throat specialist?

(d) What would you expect to find in a *pharmacie*?

(e) In what circumstances would a chemist replace the medicine prescribed by a doctor?

(f) How much would you expect to pay for an operation in an *hôpital conventionné* and why?

Activité 20

Read the text again and match the French expressions with their English equivalents.

Trouvez les équivalents.

(a) une assurance maladie	(i) an agreement
(b) couvert par la Sécurité sociale	(ii) refunded
(c) un accord	(iii) a surgeon
(d) des honoraires	(iv) to be admitted into hospital
(e) remboursé	(v) a set price
(f) soigner	(vi) eye drops
(g) un chirurgien	(vii) to advise
(h) une intervention chirurgicale	(viii) health insurance
(i) conseiller	(ix) to treat
(j) une ordonnance	(x) fees
(k) du sparadrap	(xi) an operation
(l) un collyre	(xii) covered by the (French national) health service
(m) se faire hospitaliser	(xiii) a prescription
(n) un forfait	(xiv) sticking plaster

Activité 21

Without looking back at the website page, complete the following text, using the correct forms of the verbs in the box below. One verb is used twice.

Trouvez le bon verbe.

> Tous les salariés et toutes les entreprises _____ à la Sécurité sociale. Les Français peuvent _____ leur médecin. Il y _____ deux types de médecin. Un généraliste _____ les maladies courantes, et un spécialiste _____ les problèmes de santé moins courants. Les pharmaciens _____ des médicaments et _____ des conseils. Vous _____ aussi acheter des produits de beauté dans une pharmacie. Si vous devez _____ à l'hôpital, une intervention chirurgicale _____ gratuite, mais il faut _____ 10,67 ? par jour pour les frais d'hébergement. C'est le chirurgien qui _____ les interventions chirurgicales.

---

vendre • soigner • être • contribuer • soigner • donner •
aller • payer • pratiquer • choisir • pouvoir • avoir

Activité 22 🎧 Extrait 9

1   Reread the website page *S'installer en France* and find the French equivalents of the following expressions.

Trouvez les expressions équivalentes en français.

(a) all employees

(b) all firms

(c) one's doctor

(d) a GP

(e) common illnesses

(f)   health problems

(g) he/she carries out

(h) an operation

(i)   the accommodation

2   Now listen to Extract 9 and answer the questions following the prompts.

Écoutez l'extrait et répondez aux questions.

un somnifère
a sleeping pill

l'alcool (m.)
à 90°
surgical spirit

un moustique
a mosquito

un suppositoire
a suppository

Listen to Extract 10, in which five people answer the question *Quels sont les médicaments que vous avez chez vous?* As you listen, tick the types of medicine each speaker mentions, using the following table.

Complétez le tableau.

Médicament	Pierre	Jean-Claude	Colette	Agnès	Marc
Aspirine					
Médicaments homéopathiques					
Antibiotiques					
Somnifères					
Alcool à 90°					
Sparadraps					
Suppositoires					
Normogastryl					
Crème pour les moustiques					

LA CARTE VITALE

In the last few years, all French people have been issued with *la carte Vitale*, an electronic card which saves on administration. When visiting a doctor or the chemist, the card is presented and the information goes direct to the computer of the *Sécurité sociale*, which reimburses the doctor or chemist and charges the difference to the patient. In the future, patients' medical details may also be recorded via this card.

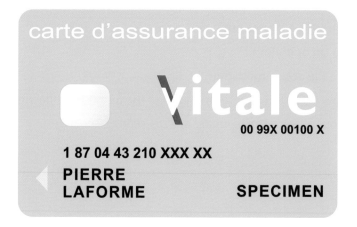

_____

Reread the text in Activity 19 step 1 and complete the following quiz, which appeared on the same website.

Faites le test.

S'installer en France: les services de santé

Avez-vous compris? Testez-vous!

Ces affirmations sont-elles vraies ou fausses?
Mettez une croix dans la case correspondante.

	Vrai	Faux
1. 99% des Français sont couverts par une assurance médicale privée.	☐	☐
2. Les honoraires de tous les médecins sont remboursés à 70%.	☐	☐
3. Les médecins spécialistes ont étudié le même nombre d'années que les généralistes.	☐	☐
4. Seules les pharmacies peuvent vendre des médicaments.	☐	☐
5. Seuls les médicaments sur ordonnance peuvent être remboursés.	☐	☐
6. Les médicaments génériques sont moins chers.	☐	☐
7. Il est préférable de se renseigner avant d'entrer à l'hôpital.	☐	☐
8. Dans un hôpital ou une clinique conventionné on ne paie rien.	☐	☐

Cliquez ici pour vérifier vos réponses

Session 5

In this session you will revise describing how you feel, talking about illnesses, and giving reassurance.

Activité 25 🎧 Extrait 11

Listen to Extract 11, in which five people talk about their health problems. Then complete the following table.

Complétez le tableau.

	Souvent malade?	Problème(s)
Jean-Claude		
Colette		
Agnès	beaucoup moins	problèmes de gorge
Marc		
Annie		

Activité 26

1 Using the imperative, write about 50 words of advice in French on the subject of keeping healthy, using the expressions in the box below. You can start like this: *'Si vous voulez rester en forme, faites du sport,...'*.

Écrivez des conseils.

> boire modérément • dormir au moins sept heures par nuit • prendre des vacances au moins deux fois par an • marcher au lieu de prendre la voiture • aller à la gym • se reposer souvent • prendre des vitamines • manger beaucoup de fruits • observer une bonne hygiène de vie

2 Your friend is not feeling well. Reassure him/her, and make suggestions on what he/she should do to feel better. Use the imperative and the expressions in the box below. Try to use linking words such as *ensuite*, *puis* and *demain* in order to make a coherent passage.

Écrivez des conseils.

> se coucher • boire un bon grog bien chaud • regarder un bon film à la télé • prendre un jour de vacances • aller chez le docteur si ça ne va pas mieux dans deux jours • manger des oranges

3   Record the advice that you gave in step 2 onto your cassette. Try to make your pronunciation and intonation as authentic as possible.

Enregistrez-vous.

Activité 27 🎧 Extrait 12

1   Monsieur Lévy decides to try a new doctor. Put their conversation into the right order.

Remettez le dialogue dans l'ordre.

Docteur:

(a) Bonjour monsieur Lévy. Qu'est-ce que je peux faire pour vous?

(b) Continuez quand même. C'est meilleur pour la santé. Pour le mal de gorge, vous allez aller mieux dans quelques jours. Prenez cette ordonnance et revenez me voir dans deux semaines.

(c) Avez-vous essayé d'autres méthodes pour vous relaxer, comme le yoga ou la méditation?

(d) Très bien. Prenez-vous d'autres médicaments en ce moment?

(e) Pourquoi prenez-vous des antidépresseurs?

(f) Ce n'est pas grave, ne vous inquiétez pas. Je vais vous donner des antibiotiques. Êtes-vous allergique à la pénicilline?

(g) Je vais examiner votre gorge. Dites 'Aaah!'

Monsieur Lévy:

(i) 'Aaah!'

(ii) Oui, je prends des antidépresseurs.

(iii) Non, je ne crois pas.

(iv) Merci, docteur. À bientôt!

(v) Mon travail est un peu difficile et je souffre de stress.

(vi) Oui, mais je ne trouve pas que c'est très efficace pour moi.

(vii) Je tousse maintenant depuis une semaine.

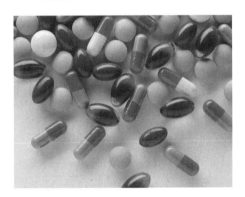

2   Listen to Extract 12 and memorize Monsieur Lévy's answers.

Écoutez l'extrait et mémorisez le rôle de Monsieur Lévy.

3   Take Monsieur Lévy's part in the dialogue, pausing the recording after the doctor speaks.

Jouez le rôle de Monsieur Lévy.

Put the words of each of the following sentences into the correct order.

Remettez les mots dans l'ordre.

1 ne – pas – aujourd'hui – en – suis – forme – je

2 tête – au – j'ai – la – et – ventre – mal – à

3 doigts – me – brûlé – les – suis – je

4 un – dernière – eu – la – accident – elle – de – semaine – a – ski

5 a – demain – médecin – elle – rendez-vous – le – chez

6 s'est – l'escalier – elle – et – bras – est – cassé – dans – le – tombée

1 Denis Lequébécois, a French-speaking Canadian on holiday in France, is asking you about the French health service. Reread the web page in Activity 19, then answer his questions below.

Répondez aux questions.

(a) La Sécurité sociale française, qu'est-ce que c'est?

(b) Quelle est la différence entre un généraliste et un spécialiste?

(c) Qu'est-ce qu'on peut acheter dans une pharmacie?

(d) Est-ce qu'il faut payer les interventions chirurgicales dans un hôpital conventionné?

2 Now give him some advice, using the words in brackets.

Donnez des conseils.

Exemple

Je voudrais acheter des timbres. Qu'est-ce que je fais? (aller – bureau de tabac)

Allez au bureau de tabac.

(a) Je suis malade. Qu'est-ce que je fais? (aller – médecin)

(b) Le docteur m'a donné une ordonnance. Qu'est-ce que je fais? (aller – pharmacie – acheter – médicaments)

(c) Je me suis cassé le doigt. Qu'est-ce que je fais? (aller – hôpital)

(d) Je n'ai pas d'argent pour payer les frais d'hébergement à l'hôpital. Qu'est-ce que je fais? (demander – ambassade)

Complete the crossword. The first column will spell a familiar first name.

Complétez la grille de mots croisés.

1								
2								
3								
4								
5								
6								
7								
8								
9								

1 Un _____ pratique des interventions chirurgicales.

2 Un docteur reçoit des _____ .

3 Atchoum!!! J'ai un gros _____ .

4 Ne vous _____ pas!

5 Je me suis coupé le doigt. J'ai mis un _____ dessus.

6 Si vous n'allez pas bien, il faut _____ au médecin.

7 La grippe est une _____ virale.

8 Je me suis cassé le _____ .

9 J'ai mal à l'_____ . Prends un Normogastryl!

FAITES LE BILAN

Now you have finished the first five sessions of this unit, you should be able to:

Describe how you feel ☐

Talk about accidents, injuries and illnesses ☐

Enquire about other people's ailments ☐

Give instructions ☐

Give reassurance ☐

Tick each box when you think you can do each point. If you are not sure about something, go back and revise it in the appropriate session.

Key Learning Points

- Using *sainement*, *mal*, *bien*, etc., to qualify verbs

- Using *ne ... jamais* with the present and the *passé composé*

Activité 31 🎧 Extrait 13 ───────────────

1 Think about what people should or should not do to stay healthy, then give three recommendations. Start like this: '*Pour être en forme, il (ne) faut...*'.

Écrivez des phrases.

manger
équilibré
*eat a balanced
diet*

2 Listen to Extract 13 and write down in French the question you think was asked.

Quelle était la question?

avec le sourire
*with a smile /
cheerfully*

3 What advice did those interviewed give? Complete the table below using short phrases from the extract.

Complétez le tableau.

Qu'est-ce qu'ils ont dit?	Pour être en bonne santé il faut...
Agnès	• bien dormir • •
Philippe	• • • être le plus joyeux possible
Pascal	• •
Jean-Claude	• • avoir un bon métier •
Lionel	•

Activité 32 ─────────────────────

1 Read the results of a survey on lifestyles. On the whole, do the participants have a healthy lifestyle or not? Give your reasons in English.

Les Français vivent-ils bien?

Résultats de notre enquête
Les Français vivent-ils bien?

1. 22% savent se détendre.
2. 25% ne font jamais de sport.
3. 26% dorment suffisamment.
4. 35% mangent sainement.
5. 54% pratiquent régulièrement une activité physique.
6. 56% boivent trop.
7. 65% mangent trop et mal.
8. 75% ne dorment pas assez ou dorment mal.
9. 78% fument.
10. 79% sont stressés.
11. 82% ne prennent pas un vrai petit déjeuner.

2 As part of the survey, some of those questioned described their lifestyles. Read their comments and then match them to results 1 to 11 in the survey.

Faites correspondre les commentaires aux résultats de l'enquête.

> **Exemple**
>
> (a) (4)
>
> Frédérique → 4 (35% mangent sainement)

un pousse-café
a liqueur (slang)

Résultats de notre enquête
Les Français vivent-ils bien? **Les commentaires**

(a) Frédérique: 'Je mange au moins cinq portions de fruits ou de légumes par jour, beaucoup de poisson et peu de sucres et de graisses.'

(b) Régis: 'J'aime la bonne cuisine, les plats en sauce, les rôtis, je mange de la viande tous les jours, et j'ai horreur des légumes.'

(c) Louis: 'Un café noir le matin, et je pars travailler!'

(d) Annabelle: 'Je dors peu parce que je me couche tard, vers minuit ou même 1h, 2h, parce que je sors souvent, et le matin je commence à travailler à 8 heures – jamais en forme!'

(e) Thierry: 'J'ai besoin de 8 à 9 heures de sommeil par nuit, alors je vais au lit assez tôt.'

(f) Grégoire: 'Je fume au moins un paquet par jour. Souvent deux.'

(g) Fatoum: 'Je joue au tennis deux fois par semaine.'

(h) Arlette: 'Courir? Non, jamais...! Je préfère regarder la télé!'

(i) Joseph: 'Je bois un demi-litre de vin par jour, plus les apéritifs, les pousse-cafés...'

(j) Farad: 'Je suis directeur d'une petite entreprise, j'ai beaucoup de responsabilités et toujours trop de travail.'

(k) Guy: 'Je fais de la méditation et du yoga un peu tous les jours.'

If you wish to add to the meaning of verbs, you can use adverbs with them (see also G 23 in Unit 10). Note that adverbs are normally positioned after the verbs that they relate to.

> *Je mange **sainement**.*
> I eat healthily.

> *Ils dorment **suffisamment**.*
> They get enough sleep.

> *Elles boivent **trop**.*
> They drink too much.

> *Ils pratiquent **régulièrement** une activité physique.*
> They take exercise regularly.

Similarly in the negative:

> *Elles ne dorment pas **assez**.*
> They don't get enough sleep.

> *Ils ne travaillent pas **régulièrement**.*
> They don't work regularly.

When there are two verbs, for example in sentences in the *passé composé* or sentences containing an infinitive, the adverb can be placed before or after the verb that it relates to:

> *Il a travaillé **suffisamment**.*
> He worked enough.

> *Elle va **suffisamment** travailler.*
> She is going to work enough.

However, short adverbs such as *trop, assez, mal* and *bien* are more often placed before rather than after the verb that they relate to:

> *Ils n'ont pas **assez** mangé.*
> They haven't eaten enough.

> *Tu peux **bien** manger dans ce restaurant.*
> You can eat well in this restaurant.

Reread the comments of those interviewed in the survey in Activity 32 step 2 and, using the phrases in step 1, say whether they have healthy lifestyles. Make sure you use an adverb each time.

Est-ce qu'ils vivent sainement?

> ### Exemple
> Frédérique? Elle mange sainement.

1 Régis?

2 Annabelle?

3 Thierry?

4 Fatoum?

5 Arlette?

6 Joseph?

7 Farad?

8 Guy?

Activité 34 🎧 Extrait 14 _____

1 Listen to Extract 14, in which five people are asked whether they smoke. Who still does?

Qui fume toujours?

2 Listen again and indicate which of the following statements are true or false. Correct the false ones in French.

Vrai ou faux? Corrigez les phrases qui sont fausses.

	Vrai	Faux
(a) Pierre fume toujours.	❏	❏
(b) Lionel ne fume plus.	❏	❏
(c) Colette a arrêté de fumer.	❏	❏
(d) Maryse n'a jamais fumé.	❏	❏
(e) Maryse a arrêté de fumer.	❏	❏
(f) Mehdi fume toujours.	❏	❏

3 Explain in English why Colette and Maryse stopped smoking.

Pourquoi ont-elles arrêté de fumer?

4 Why has Mehdi never smoked? Write down his reasons in French.

Pourquoi Mehdi n'a-t-il jamais fumé?

Note the position of the *ne* and *jamais* on either side of the verb:

> *Ils **ne** vont **jamais** à Paris.*
> They never go to Paris.
>
> *Je **ne** fume **jamais**.*
> I never smoke.
>
> *Je **ne** me détends **jamais**.*
> I never relax.

Remember that you must normally use *de* in front of a noun with *ne ... jamais*:

> *Tu **ne** bois **jamais de** lait?*
> Do you never drink milk?
>
> *Nous **ne** pratiquons **jamais de** sport.*
> We never do any sport.

In the *passé composé*, *ne ... jamais* goes around *avoir* or *être*:

> *Vous **n'avez jamais** fumé?*
> Have you never smoked?
>
> *Ils **ne** sont **jamais** allés à Paris.*
> They have never been to Paris.

With reflexive verbs, *ne ... jamais* is positioned around *me/te/se... + être*:

> *Je **ne** me suis **jamais** détendu(e).*
> I've never relaxed.
>
> *Nous **ne** nous sommes **jamais** rencontré(e)s.*
> We've never met.

Activité 35

Make sentences using *ne ... jamais* and the *passé composé* of an appropriate verb from the box below. You can use each verb as many times as you wish.

Écrivez des phrases.

Exemple

Pierrette / l'Italie

Pierrette **n'est jamais allée** en Italie or Pierrette **n'a jamais visité** l'Italie.

aller • visiter • aimer • voir • essayer • sortir

1   Ses frères / Arles

2   Mes enfants / les huîtres

3   Jean-Pierre et Claude / la tour Eiffel

4   Nous / la Corse

5   Vous / l'Espagne?

6   Je / le restaurant

7   Edwige / les escargots

Activité 36 Extraits 14 et 15

1   Listen to Extract 14 again and find the French equivalents of the following sentences.

Trouvez les expressions équivalentes en français.

(a) I no longer smoke.

(b) Haven't you ever smoked?

(c) I stopped smoking when I was pregnant.

(d) I have never smoked.

(e) I've never liked it.

(f) It's very bad for one's health.

2   Listen to Extract 15 and answer the questions following the prompts.

Écoutez l'extrait et répondez aux questions.

1 Based on what you learned in this session, describe in 60–70 words the healthy lifestyle of someone you know well (or an imaginary person if you prefer).

Décrivez le mode de vie de quelqu'un qui observe une bonne hygiène de vie.

2 Record some general advice (dos and don'ts) on your cassette on developing a healthy lifestyle. Aim to talk for about a minute. Start like this: *'Je pense que pour être en bonne santé il faut...'* . Include the expression *il ne faut jamais...* and end with *'Voilà mes conseils'*.

Donnez des conseils.

USING WHAT YOU HAVE LEARNED

When you set out to produce anything in writing, no matter how short, try to think in French as much as possible, drawing on all the words and phrases that you already know. You will probably be pleasantly surprised to find how little you do need to look up, if at all. (Besides, if you attempt to prepare everything you want to say in English and then try to translate it, you are likely to find the process very time-consuming and the result stilted and over-literal.)

For example, the following sentence may look relatively complex in English: 'To stay healthy, you should eat healthily and do plenty of exercise.' However, by now you have learnt enough words and structures to convey the same idea in French without too many difficulties: *'Pour être en bonne santé, il faut manger sainement et pratiquer beaucoup de sport.'*

Key Learning Points

- Expressing conditions using *si* + present tense
- Giving advice using *tu devrais / vous devriez*

Activité 38

1 Read the following statements, from a campaign run by an anti-smoking organization. Match each statement in the left-hand column with its opposite in the right-hand column.

Trouvez les contraires.

Exemple

(e) (ii)

Si tu fumes		Si tu arrêtes de fumer	
(a)	tu vas déranger les personnes qui ne fument pas	(i)	tu vas améliorer tes performances physiques
(b)	tu vas risquer d'avoir plus de maladies	(ii)	tu vas passer de meilleures nuits
(c)	tu vas perdre le sens du goût et de l'odorat	(iii)	tu vas arrêter de tousser
(d)	tes vêtements, tes cheveux, tes draps, tes sofas, tout va sentir mauvais	(iv)	tu vas augmenter ton espérance de vie
(e)	tu vas mal dormir	(v)	tu vas limiter les risques de maladies
(f)	tu vas beaucoup tousser	(vi)	tu vas mieux profiter des goûts et des odeurs
(g)	tu ne vas pas pouvoir faire du sport dans de bonnes conditions physiques	(vii)	tu ne vas plus sentir le tabac froid
(h)	tu vas vivre moins longtemps	(viii)	tu ne vas plus déranger les gens qui ne fument pas

2 On your cassette, record five suggestions to smokers using the above table. Start each one with: *'Si vous ne fumez pas, vous allez...'*.

Donnez cinq conseils aux fumeurs.

3 Give five reasons not to start smoking. Begin with: '*Si vous fumez, vous allez...*'. Speak aloud. You may wish to record yourself.

Donnez cinq raisons pour ne pas commencer à fumer.

G 6 **Expressing conditions using *si* + present tense**

To talk about conditions affecting the near future ('if x happens, then y is going to happen'), you can use *si* + present tense, followed by *aller* + infinitive:

> ***Si*** *tu **arrêtes** de fumer, tu **vas limiter** des risques de maladies.*
> If you give up smoking, you are going to reduce the risk of illness.

> ***Si*** *Béatrice **arrête** de faire du sport, elle **va prendre** du poids.*
> If Béatrice stops exercising, she is going to put on weight.

> ***Si*** *vous ne **mangez** pas équilibré, vous n'**allez** pas **perdre** du poids.*
> If you don't eat a balanced diet, you are not going to lose weight.

Activité 39

Make sentences with the words and phrases given, following the example below. Be careful with the position of *ne ... pas*. Then translate them into English.

Faites des phrases et traduisez-les.

Exemple

tu / ne pas arrêter de fumer / continuer à tousser

Si tu n'arrêtes pas de fumer, tu vas continuer à tousser. (If you don't stop smoking, you are going to keep coughing.)

1   tu / boire trop de café / mal dormir

2   vous / faire ce régime / perdre trop de poids

3   Corinne / faire du sport régulièrement / être plus en forme

4   Pierre / manger trop de fraises / être malade

5   Carmen / ne pas réussir à son examen / son père / ne pas être content

Activité 40

You have decided to change your lifestyle. Following the example, complete the sentences using *aller* and the verb given in brackets.

Complétez les phrases.

Exemple

Si je fais beaucoup de sport, (vivre...) _____ .

Si je fais beaucoup de sport, *je vais vivre plus longtemps.*

1   Si je change de travail, (être moins stressé(e)) _____ .

2   Si je vais à la gym, (se sentir mieux) _____ .

3   Si je mange plus sainement, (perdre...) _____ .

4   Si je me couche de bonne heure, (dormir...) _____ .

5   Si je ne fume plus, (augmenter...) _____ .

6   Si je gagne le loto, (acheter...) _____ .

Activité 41 🎧 Extrait 16

1   Listen to Extract 16, in which Edwige gives Mehdi some advice. What is the matter with Mehdi?

Qu'est-ce qui ne va pas?

Key Learning Points

- Expressing opinions
- Referring to people

Activité 45  **Extrait 18**

1 Listen to Extract 18. What are the three topics that people were asked to give their opinion on?

Quels sont les thèmes?

2 Tick the correct column to show the speakers' opinions.

Mettez une croix dans la bonne colonne.

		Pour	Contre	Sans opinion
Fumer dans les lieux publics	Christian			
	Marc			
	Coralie			
Arrêter de manger de la viande	Mélanie			
	Romain			
Arrêter d'imprimer sur du papier	Maria			
	Sophie			
	Mehdi			

3 Listen again and write down the expressions used by the speakers to give their opinions. Say whether they are in favour (*pour*) or against (*contre*), or whether they have no opinion (*sans opinion*).

Écoutez et notez les expressions.

Exemple

Coralie: (*sans opinion*) Je ne sais pas.

To express opinions, you have already met: *à mon avis, je pense que, je trouve que, j'aime mieux, je préfère* (Unit 4, Session 3).

To agree, you can also use:

Je suis d'accord. / Je suis pour.

To disagree, you can also use:

Je ne suis pas d'accord. / Je suis contre.

When you don't have an opinion, you can use:

Ça ne me dérange pas. / Ça m'est égal. / Ça ne me gêne pas.
I don't mind.

Activité 46

Write down an opinion on each of the subjects that people were asked about in Extract 18. Try to agree with one statement, disagree with one and remain neutral on another. Justify your answer. Write about twenty words on each subject.

Donnez votre opinion sur les trois sujets.

Activité 47  Extrait 18

1 Listen to Extract 18 again and look at the transcript. Which words are used to refer to (a) someone who smokes, and (b) someone who doesn't smoke?

Trouvez les mots.

2   In the left-hand column below there are some more words for people who carry out specific actions. Match them with the fuller definitions in the right-hand column.

Trouvez les équivalents.

(a)	les automobilistes	(i)	ceux qui font de la boxe
(b)	les auditeurs	(ii)	ceux qui font du sport
(c)	les boxeurs	(iii)	ceux qui mangent de la viande
(d)	les drogués	(iv)	ceux qui regardent la télévision
(e)	les cinéphiles	(v)	ceux qui écoutent la radio
(f)	les mangeurs de viande	(vi)	ceux qui aiment le cinéma
(g)	les téléspectateurs	(vii)	ceux qui boivent de la Guinness
(h)	les sportifs	(viii)	ceux qui roulent en auto
(i)	les buveurs de Guinness	(ix)	ceux qui font du vélo
(j)	les cyclistes	(x)	ceux qui se droguent

G 9   Referring to people

You can use collective nouns to talk about specific groups of people:

les fumeurs	smokers
les boxeurs	boxers
les mangeurs de viande	meat eaters
les buveurs de whisky	whisky drinkers
les sportifs	sportsmen / women
les cinéphiles	film enthusiasts
les automobilistes	motorists

You can also use *ceux (qui)* to talk about specific groups of people:

> *Les cinéphiles, ce sont **ceux** qui aiment le cinéma.*
> Film enthusiasts are those who love cinema.

> *Les sportifs, ce sont **ceux** qui font du sport.*
> Sports people are those who take part in sport.

To talk about an individual, use *quelqu'un (qui)*:

> *Un sportif, c'est **quelqu'un** qui fait du sport.*
> A sportsman is someone who takes part in sport.

> *Un francophile, c'est **quelqu'un** qui aime la France et les Français.*
> A francophile is someone who likes France and the French.

Activité 48 🎧 Extrait 19

1   Match the two columns below.

Trouvez les équivalents.

(a) Un menteur	(i) c'est quelqu'un qui roule en moto
(b) Un motard	(ii) c'est quelqu'un qui fait des blagues
(c) Un marcheur	(iii) c'est quelqu'un qui danse
(d) Un farceur	(iv) c'est quelqu'un qui ment
(e) Un danseur	(v) c'est quelqu'un qui aime bien les grandes promenades

2   Listen to Extract 19 and complete the following text about Vincent, using the words from the box.

Complétez le texte.

> Vincent est _____ . C'est quelqu'un qui fait beaucoup de _____ .
> C'est un _____ de compétition. Il est aussi _____ amateur.
> Côté loisirs, il adore le cinéma et fait partie d'un club de _____ .

> sport • nageur • cinéphiles • cycliste • sportif

Based on the prompts from the box below, write a short description (about 60 words) of Anja, a francophile. Explain why she loves France and the French. Start like this: '*Ses parents n'aiment pas du tout la France, mais Anja...*'.

Décrivez Anja, une francophile.

> visiter le pays • aller à Paris • travailler dans une entreprise •
> préférer la cuisine • le vin • une cinéphile • les années 60 •
> passionnant • francophile

Session 9

Key Learning Points

- Forming questions using inversion
- Talking about alternative medicine

Activité 50  Extrait 20

Vous vous soignez par homéopathie? *Do you use homeopathic medicine?*

1 Listen to Extract 20. What is the first question Hubert is asked? What do you think it means in English?

   Quelle question pose-t-on à Hubert?

2 Listen again and tick the alternative treatments mentioned.

   Cochez les bonnes réponses.

   (a) l'homéopathie ☐

   (b) l'hydrothérapie ☐

   (c) la médecine par les plantes ☐

   (d) la réflexologie ☐

   (e) l'acupuncture ☐

   (f) l'aromathérapie ☐

   (g) la thalassothérapie ☐

   (h) les massages ☐

3 Now go to the transcript and underline the questions that contain verbs.

   Soulignez les questions qui contiennent un verbe.

4 Look at the following three questions. What do you notice about them?

   Regardez ces questions. Qu'est-ce que vous remarquez?

— Êtes-vous pour les médecines douces?

— Avez-vous essayé la thalassothérapie?

— À votre avis, est-ce un remède?

G 10 Asking questions using inversion

You have already learnt two ways of asking a question (see Book 2, G 5 and G 28):

- By using rising intonation at the end of the sentence. If the question contains a question word, it is normally placed after the verb.

  On mange bientôt?
  Are we eating soon?

  Tu arrives quand?
  When are you arriving?

  Vous allez comment, ce matin?
  How are you this morning?

- By using *est-ce que*. If there is a question word, it is placed before *est-ce que*.

  Est-ce que *tu as mon numéro de téléphone?*
  Do you have my phone number?

  Pourquoi est-ce que *vous êtes allé(e)(s) chez le docteur?*
  Why did you go to the doctor's?

  Qu'est-ce qu'on fait ce soir?
  What are we doing this evening?

There is a third way, which is used in more formal contexts and in short, commonly used questions. The subject and verb are simply inverted (and a hyphen added in the written language). The question word, if there is one, comes before the verb.

  Êtes-vous *pour les médecines douces?*
  Are you in favour of alternative medicine?

  Comment allez-vous *aujourd'hui?*
  How are you today?

  Où vas-tu *en vacances?*
  Where are you going on holiday?

When the verb ends with a vowel, the letter 't' is added between hyphens and sounded to make pronunciation easier:

  *Mange-**t**-il assez de légumes?*
  Does he eat enough vegetables?

  *Quel âge a-**t**-elle?*
  How old is she?

Activité 51 Extrait 21

1   Listen to the dialogues in Extract 21 and tick the types of question you hear.

Mettez une croix dans la bonne colonne.

	Intonation	Est-ce que...	Inversion sujet–verbe
Dialogue 1			
Dialogue 2			
Dialogue 3			
Dialogue 4			
Dialogue 5			

2   Write the question to the following answers. Use the form of question suggested in brackets.

Trouvez la question.

Exemple

Question: (Où est-ce que) _____ ?

Réponse: Je vais à Avignon.

Où est-ce que tu vas / vous allez?

(a)   Question: (Quand est-ce que) _____ ?

Réponse: Ils arrivent demain.

(b)   Question: (inversion) _____ ?

Réponse: Il est 14 h 30.

(c)   Question: (intonation) _____ ?

Réponse: Non, je ne fume plus.

(d)   Question: (inversion) _____ ?

Réponse: Elle a quinze ans.

(e)   Question: (Où est-ce que) _____ ?

Réponse: Je vais chez le médecin.

(f)   Question: (Où + inversion) _____ ?

Réponse: J'ai mal à la tête.

Activité 52

Translate the following questions using the inversion form and the *vous* form.

Traduisez les questions.

1 What do you have for breakfast?
2 What do you think of television?
3 Do you like oysters?
4 Where are you going?
5 How do you spell that?

6 Can you say that again, please?
7 Do you want to come with us?
8 How old are you?
9 What do you want to take?
10 What is your name?

Activité 53

1 Read the following text and say what Dr. Henry specializes in.

Qu'est-ce qu'il fait?

Le docteur Henry est un spécialiste de l'acupuncture et travaille à Bordeaux depuis 15 ans. Il explique son travail:

'L'acupuncture, c'est une médecine chinoise très ancienne – en fait, elle existe depuis plus de 1 000 ans. On l'utilise surtout pour combattre ou prévenir la douleur. On plante des aiguilles dans certains endroits du corps. Quand on pique un point, on modifie le message douloureux reçu par le cerveau.

C'est vrai que l'acupuncture peut aider quelqu'un à arrêter de fumer – mais c'est très difficile, et la personne doit être très motivée.'

le cerveau
brain

2 Read the text again and tick the correct answers.

Cochez les bonnes réponses.

(a) L'acupuncture, c'est:
   (i) une maladie ☐
   (ii) une médecine ☐
   (iii) un médicament ☐

(b) L'acupuncture vient:
   (i) d'Afrique ☐
   (ii) d'Inde ☐
   (iii) de Chine ☐

(c) L'acupuncture soigne:
   (i) surtout la douleur ☐
   (ii) toutes les maladies ☐
   (iii) les maladies infantiles ☐

(d) L'acupuncture fonctionne avec:
   (i) des huiles essentielles ☐
   (ii) des massages ☐
   (iii) des aiguilles ☐

Activité 57 🎧 Extrait 23

1   Listen to Extract 23 and indicate which of the following statements are true or false. Correct the false ones in French.

Vrai ou faux? Corrigez les informations fausses.

		Vrai	Faux
(a)	Fatou va voir son docteur parce qu'elle mange mal.	☐	☐
(b)	Elle travaille dans une agence d'assurances.	☐	☐
(c)	Elle rentre plus tard le soir de son travail.	☐	☐
(d)	Elle fait du sport depuis plusieurs semaines.	☐	☐
(e)	Elle se repose bien le week-end.	☐	☐

2   Give Fatou advice on how to improve her health, using *Vous devriez... .*

Donnez des conseils à Fatou.

Exemple

Je dors très mal.

Vous devriez vous coucher de bonne heure.

(a) Je suis trop stressée au travail.

(b) Je ne mange pas le soir.

(c) Je ne fais plus de sport.

(d) Je travaille souvent à la maison le week-end.

(e) Ça ne va pas du tout.

3   Listen again and practise the different ways of asking questions. Pause each time the doctor asks a question and rephrase it, using a different question form.

Posez les questions d'une autre façon.

Exemple

Vous commencez à quelle heure le matin?

À quelle heure est-ce que vous commencez le matin? / À quelle heure commencez-vous le matin?

Start with the next question: *'Vous travaillez toujours...?'*

Activité 58

1   Make sentences using *ne ... jamais* in the present tense, using the following prompts.

Écrivez des phrases au présent.

(a)   Ses parents / aller / en Suisse.

(b)   Vous / travailler / le week-end?

(c)   Elles / manger / au restaurant.

(d)   Ils / visiter / le Louvre à Paris.

(e)   Je / pratiquer / sport.

(f)   Tu / voir / tes cousins?

2   Now put the sentences in step 1 into the *passé composé*. Take care over the word order.

Écrivez les phrases au passé composé.

Activité 59 🎧 Extrait 24

1   Listen to Extract 24 and write down the theme of the discussion between Philippe and Virginie.

Quel est le thème de la discussion?

2   Listen again and match the French expressions with the English.

Trouvez les équivalents.

(a) mauvais pour la santé	(i) if we don't do anything
(b) beaucoup de légumes	(ii) all this advertising on television
(c) manger des bonbons	(iii) I'm not against advertising
(d) boire des boissons sucrées	(iv) I can't bear people
(e) toute cette publicité à la télévision	(v) bad for one's health
(f) mangent sainement	(vi) must show a good example
(g) il ne faut pas tout interdire	(vii) eat sweets
(h) moi, je ne suis pas contre la publicité	(viii) lots of vegetables
(i) les parents sont responsables	(ix) you can't ban everything
(j) doivent montrer le bon exemple	(x) it's not harmful to one's health
(k) si on ne fait rien	(xi) drink sweet drinks
(l) je n'ai jamais aimé les boissons sucrées	(xii) eat healthily
(m) je ne supporte pas les gens	(xiii) the parents are responsible
(n) ce n'est pas nocif pour la santé	(xiv) I've never liked sweet drinks

3 Tick the relevant boxes to indicate who says what.

Cochez la bonne case.

	Virginie	Philippe
(a) Les enfants mangent trop de sucre.	❑	❑
(b) Les enfants mangent sainement.	❑	❑
(c) Ils veulent boire des boissons sucrées.	❑	❑
(d) Ils mangent bien équilibré.	❑	❑
(e) Je ne supporte pas toute cette publicité.	❑	❑
(f) Il ne faut pas tout interdire.	❑	❑
(g) Il faut respecter la liberté individuelle.	❑	❑
(h) Les parents sont responsables.	❑	❑
(i) Tu ne penses pas que les enfants risquent de devenir obèses si on ne fait rien?	❑	❑

4 Read the transcript and underline all the phrases used to express opinions.

Soulignez les phrases.

Activité 60 🎧 Extrait 25

1 What do you think about the advertising of sweet drinks? Write your opinion in about 70 words, saying whether you agree or disagree with what you heard in the extract.

Donnez votre opinion.

2 Listen to Extract 25 and speak in the pauses.

Écoutez l'extrait et parlez dans les pauses.

FAITES LE BILAN

Now that you have finished the last five sessions of this unit, you should be able to:

Express opinions	❑
Give advice	❑
Express conditions in the near future	❑
Ask questions using inversion	❑
Use adverbs such as *sainement*, *mal*, *bien*	❑
Use *ne ... jamais* with the present and the *passé composé*	❑
Use *ceux qui / quelqu'un qui*	❑

Tick each box when you think you can do each point. If you are not sure about something, go back and revise it in the appropriate session.

Corrigés

Activité 1

1 (e), 2 (f), 3 (b), 4 (c), 5 (d), 6 (a)

Activité 2

1 Her back (*'Je me suis fait mal au dos...'*) and her right arm (*'... et je me suis cassé le bras droit'*).

2 (a) Faux. Christine a eu un accident de ski **l'année** dernière.

   (b) Vrai.

   (c) Faux. Elle s'est cassé le bras **droit**.

   (d) Faux. Elle est restée à l'hôpital pendant une **semaine**.

   (e) Vrai.

   (f) Faux. Elle a rendez-vous chez le médecin **demain**.

Activité 3

1 Vous avez eu un accident grave?

2

	Qu'est-ce que vous vous êtes fait?	Comment?
Jacques	Je me suis cassé les deux bras et les deux jambes.	J'ai eu un accident de moto.
Guillaume	Je me suis cassé le nez.	En jouant au rugby.
Marc	Je me suis cassé le bras.	Je suis tombé d'une échelle.
Annie	Je me suis (gravement) brûlé la main.	J'ai joué avec des allumettes.

Activité 4

1 (a) J'ai mal au dos.

   (b) J'ai mal aux pieds.

   (c) J'ai mal aux dents.

   (d) J'ai mal aux yeux.

2 (a) Je me suis fait mal au dos.

   (b) Je me suis fait mal à la jambe.

   (c) Je me suis cassé une dent*.

   (d) Je me suis brûlé le doigt.

* Note that the indefinite article *une* is used with *se casser une dent* because it means one of many.

3 Check your answers on the CD and in the transcript.

Activité 5

1. (a) Je ne suis pas en forme.

   (b) J'ai très mal au dos.

   (c) J'ai souvent mal au dos.

   (d) Je suis tombée.

   (e) Je me suis fait mal au dos.

   (f) Je me suis cassé le bras droit.

   (g) Et ça ne va pas mieux?

   (h) Mon bras, oui, ça va mieux.

   (i) J'ai un peu mal quand j'écris.

   (j) Ça va?

   (k) Je vais bien.

2. (a) Pendant mes vacances d'hiver l'année dernière.

   (b) Je suis tombée.

   (c) Je me suis fait mal au dos et je me suis cassé le bras droit. Je suis restée à l'hôpital pendant une semaine. J'ai aussi fait de la rééducation.

   (d) J'ai souvent mal au dos. (Pour mon dos, ça ne va pas vraiment mieux.) J'ai un peu mal quand j'écris trop longtemps. Pour mon bras, ça va mieux.

Activité 6

1. **Mehdi:**

   (a) J'ai eu un accident de rugby.

   (b) Pendant la dernière saison de rugby.

   (c) Je me suis cassé le nez. Je suis resté à l'hôpital pendant deux jours.

   (d) Je vais mieux mais j'ai le nez tordu.

   Sandrine:

   (a) Je suis tombée dans l'escalier.

   (b) Il y a deux mois.

   (c) J'ai eu mal au dos pendant six mois, j'ai arrêté le sport et j'ai donc grossi.

   (d) Ça va mieux, mais j'ai encore un peu mal.

   Note that for Sandrine you need to add an '*e*' to *tombée* as she is a woman.

2. Here is a sample answer which you can compare with your own:

   > J'ai eu un accident de voiture l'année dernière pendant les vacances. Je me suis cassé la jambe / J'ai eu la jambe cassée. J'ai fait de la rééducation. Maintenant ça va mieux.

   To say 'I'm better' you can use either '*Ça va mieux*' or '*Je vais mieux*'.

Activité 7

Here is a sample answer. The main phrases to do with injuries and their treatment have been highlighted. Compare it with what you have written, checking the use of your verbs in the *passé composé*. Note the feminine agreement '*e*' after verbs with *être*.

> L'année dernière, je suis allé(e) en vacances en Provence avec mes amis. Nous avons loué des scooters. Un jour, **j'ai eu un accident**: je **suis tombé(e)** et je **me suis fait mal**. Je suis allé(e) **à l'hôpital**. **J'avais le bras cassé** et **mal au pied** / **Je me suis cassé le bras** et **je me suis fait mal au pied**. **Je suis resté(e)** à l'hôpital deux jours et **j'ai fait de la rééducation**. Maintenant, **ça va beaucoup mieux** mais **j'ai mal au bras** de temps en temps.

Activité 8

1. Les muscles sont un peu enflammés. (*Her (back) muscles are inflamed.*)

2. He writes her a prescription for cream and tablets, and advises her to: use the cream (*Je vais vous donner une crème*); take the tablets (*Prenez ces comprimés*); rest for a few days (*Reposez-vous pendant quelques jours*); come back to see him if she doesn't

feel any better (*Si vous n'allez pas mieux, revenez me voir*).

Activité 9

1   Here are some sample answers:

   (a) Si vous avez mal à la tête / si vous avez mal au dos / si vous avez mal aux dents...

   (b) Si vous êtes fatigué(e) / si vous vous sentez mal...

   (c) Si tu tousses / si tu as un rhume...

   (d) Si vous avez mal à la gorge / si vous toussez beaucoup...

   (e) Si tu es fatigué(e) / si tu es stressé(e) / si tu veux être en forme...

   Did you remember to use the correct form of the verb (*tu* or *vous*)?

2   Here are some sample answers:

   (a) **Prenez** du paracétamol / **allez** chez le dentiste.

   (b) **Mettez** une crème apaisante dessus.

   (c) **Prends** un (*or* du) sirop (contre la toux).

   (d) **Téléphone** au médecin / **prends** du paracétamol / **couche-toi**.

   (e) **Mettez-vous** à la diète.

   Again, did you remember to use the correct form of the verb (*tu* or *vous*)?

Activité 10

1   The leaflet is about winter illnesses (*maux de l'hiver*) and what to do when you are ill, e.g. when you have the flu (*la grippe*) / a cold (*un rhume*) / a sore throat (*un mal de gorge*) / a throat infection (*une angine*) / bronchitis (*une bronchite*).

   Note that *les maux* is the plural of *le mal*.

2   (a) Pour éviter de passer l'hiver au lit.

   (b) Maintenez une bonne hygiène de vie. (*You may also have added*: Faites de l'exercice.)

   (c) La promiscuité.

   (d) Pour prévenir la maladie.

   (e) Consultez votre médecin.

   (f) (Elle) ne peut pas être traitée par des antibiotiques.

3   maintenez (une bonne hygiène de vie) *lead (a healthy lifestyle)*

   faites (de l'exercice) *take (exercise)*

   prenez (de la vitamine C) *take (vitamin C)*

   armez-vous (de patience) *be (patient)*

   utilisez (des produits pour décongestionner le nez) *use (products to unblock your nose)*

   buvez (aussi beaucoup d'eau) *drink (lots of water as well)*

   sucez (des pastilles) *suck (lozenges)*

   consultez (votre médecin) *consult (your doctor)*

   reposez-vous *rest*

   buvez (beaucoup de liquides) *drink (lots of fluids)*

   ne négligez pas (les angines) *don't ignore (throat infections)*

   consultez (un médecin) *see (a doctor)*

   buvez (des boissons chaudes ou glacées) *drink (hot or ice-cold drinks)*

   Note the negative form of *négliger* – *ne négligez pas...*

4   (a) Si vous attrapez un rhume, utilisez des produits pour le nez.

   (b) Si vous avez une bronchite, buvez des liquides.

   (c) Si vous avez une angine, prenez des boissons chaudes.

   (d) Si votre température dépasse 38°, consultez votre médecin.

   (e) Si les / vos symptômes sont sérieux, consultez votre médecin.

Activité 11

Here is a sample answer which you can compare with what you have written. Did you try to reuse some of the structures you studied in this session, such as those highlighted?

> **Si vous voulez** être en bonne santé, **faites** du sport et **prenez** de la vitamine C.

> **Mangez** sainement, et surtout mangez beaucoup de fruits et de légumes.

> **Si vous travaillez** beaucoup, **couchez-vous** de bonne heure.

> Et finalement, si vous tombez malade, **restez chez vous** et **reposez-vous**.

Activité 12

Check your answers on the CD and in the transcript.

Activité 13

1   To look after her mother, who has broken her wrist (*elle s'est cassé le poignet*). Note that Christine says *'je dois rentrer chez moi'*, referring in this case to her family home.

2   (a) **Pourquoi** est-ce que tu dois rentrer?

(b) **Quand** est-ce qu'elle a appelé?

(c) **Qu'**est-ce qu'il y a?

(d) **Depuis combien de temps** est-ce qu'elle habite toute seule?

(e) Il est mort **il y a combien de temps**?

(f) Elle a **quel** âge?

(g) **Combien de fois** est-ce qu'elle s'est cassé le poignet?

(h) Tu pars **quand**?

At this stage you might want to revise the question words (see Unit 3, Session 6, G 5 and Unit 4, Session 9, G 28).

3/4 Check your answers on the CD and in the transcript.

Activité 14

1 (d), 2 (a), 3 (e), 4 (b), 5 (f), 6 (c)

Note the use of *y* in (b), (c) and (f) to mean 'there'. You have already seen this in Unit 8, Session 2.

Activité 15

1   Pourquoi est-ce que vos / tes enfants prennent des vitamines?

2   Combien de fois (par an) est-ce que vous allez / tu vas chez le docteur?

3   Depuis combien de temps est-ce que vous allez / tu vas chez le même médecin? (*Or:* Depuis quand est-ce que vous...?)

4   Pourquoi est-ce que vous faites / tu fais du yoga?

5   Quand est-ce que vous avez / tu as commencé le yoga?

Activité 16

1   (a) Depuis combien de temps est-ce que vous avez le même médecin?

(b) Combien de fois par an est-ce que vous allez chez le médecin?

(c) Quand est-ce que vous avez eu votre dernier rhume?

(d) Est-ce que vous êtes déjà allé(e) à l'hôpital?

(e) Pourquoi est-ce que vous êtes allé(e) à l'hôpital?

2   Here is a sample answer:

–   J'ai le même médecin depuis plus de vingt ans.

–   J'y vais une ou deux fois par an.

–   J'ai eu mon dernier rhume la semaine dernière (*or you could have said*: Je l'ai eu...).

–   Oui, je suis allé(e) à l'hôpital plusieurs fois *or* J'y suis allé(e) l'année dernière, en mai.

– J'ai eu un accident. Je me suis cassé le pied.

Activité 17

Here are the expressions Sylviane uses:

– Ne t'en fais pas.

– Ce n'est pas grave!

– Ne t'inquiète pas!

Activité 18

Here is a sample answer. You may have used alternative expressions of reassurance.

1 Ce n'est pas grave. Envoie des fleurs.

2 Rassure-toi! Il y a beaucoup de circulation.

3 Ça ne fait rien, je t'invite à manger.

4 Ne t'inquiète pas! J'ai la cassette vidéo.

5 Rassure-toi! Mon ami peut le réparer.

6 Ce n'est pas grave. Voici un sparadrap.

7 Ne t'en fais pas. Il y en a un paquet dans le placard.

8 Ne t'inquiète pas! Fais une omelette.

Activité 19

1 Social Security (*la Sécurité sociale*), doctors (*les médecins*), chemists (*les pharmaciens*), medicines (*les médicaments*) and hospital treatment (*l'hospitalisation*).

2 (a) It is a national medical insurance scheme, financed by contributions from both employees and companies. Voluntary contributions are also possible. 99% of French people belong to the *Sécurité sociale*.

(b) 20 ?.

(c) *Un oto-rhino-laryngologiste*, more commonly called (thank goodness!) *un ORL* or *un oto-rhino*.

(d) Medicines and prescription medicines, as well as cosmetics (*des produits de beauté*), first aid products (*des produits de premiers soins*) and hygiene products such as toothpaste and toothbrushes (*des produits d'hygiène*).

(e) When a generic type of medicine is available which has the same properties but is cheaper.

(f) You would expect to pay nothing for an operation, although you would have to pay a standard fee of 10.67 ? per day for accommodation.

Activité 20

(a) (viii), (b) (xii), (c) (i), (d) (x), (e) (ii), (f) (ix), (g) (iii), (h) (xi), (i) (vii), (j) (xiii), (k) (xiv), (l) (vi), (m) (iv), (n) (v)

Activité 21

Tous les salariés et toutes les entreprises **contribuent** à la Sécurité sociale. Les Français peuvent **choisir** leur médecin. Il y **a** deux types de médecin. Un généraliste **soigne** les maladies courantes, et un spécialiste **soigne** les problèmes de santé moins courants. Les pharmaciens **vendent** des médicaments et **donnent** des conseils. Vous **pouvez** aussi acheter des produits de beauté dans une pharmacie. Si vous devez **aller** à l'hôpital, une intervention chirurgicale **est** gratuite, mais il faut **payer** 10,67 ? par jour pour les frais d'hébergement. C'est le chirurgien qui **pratique** les interventions chirurgicales.

Activité 22

1 (a) tous les salariés

(b) toutes les entreprises

(c) son médecin

(d) un généraliste

(e) les maladies courantes

(f) les problèmes de santé

(g) (il/elle) pratique

(h) une intervention chirurgicale

(i) l'hébergement

2   Check your answers on the CD and in the transcript.

Activité 23

Pierre: aspirine, Normogastryl; Jean-Claude: aspirine, somnifères, alcool à 90°, sparadraps; Colette: médicaments homéopathiques; Agnès: aspirine, crème pour les moustiques; Marc: antibiotiques, suppositoires.

Note how often they use *du/de l'/des* followed by the medicine, e.g. *du Normogastryl, de l'aspirine* or *des médicaments homéopathiques*.

Activité 24

1   Faux. 99% des Français sont couverts par la Sécurité sociale.

2   Faux. Seulement ceux des médecins conventionnés à 70%.

3   Faux. Les médecins spécialistes ont prolongé leurs études.

4   Vrai.

5   Vrai.

6   Vrai.

7   Vrai. Tous les établissements hospitaliers ne sont pas conventionnés.

8   Faux. On paye 20% pour le premier mois pour une maladie et un forfait de 10,67 ? par jour pour les frais d'hébergement.

(Si vous avez fait plus de trois erreurs retournez au texte.)

Activité 26

1   If you followed exactly the order of the verbs given in the box, this is what you might have written:

> Si vous voulez rester en forme, faites du sport, buvez modérément, dormez au moins sept heures par nuit, prenez des vacances au moins deux fois par an, marchez au lieu de prendre la voiture, allez à la gym, reposez-vous souvent, prenez des vitamines, mangez beaucoup de fruits, et observez une bonne hygiène de vie.

2   Here is a sample answer which you can compare with your own:

> Rassure-toi, ce n'est pas grave. Prends un comprimé d'aspirine. Ensuite couche-toi, bois un bon grog bien chaud, regarde un bon film à la télé. Demain, prends un jour de vacances. Va chez le docteur si ça ne va pas mieux dans deux jours. Et puis mange des oranges!

Activité 27

1   The dialogue follows the sequence: (a) (vii), (g) (i), (f) (iii), (d) (ii), (e) (v), (c) (vi), (b) (iv)

2/3 Check your answers on the CD and in the transcript.

Activité 25

	Souvent malade?	Problème(s)
Jean-Claude	non, assez rarement	rhume, mal au dos, grippe
Colette	non, pas souvent	mal au dos
Agnès	beaucoup moins	problèmes de gorge*
Marc	oui	rhumatismes
Annie	non – en pleine forme	

* Agnès does say her children suffer a lot from ear/nose/throat problems (*beaucoup de problèmes ORL*).

Activité 28

1 Je ne suis pas en forme aujourd'hui. (*Or you could start with* 'Aujourd'hui je...'.)

2 J'ai mal à la tête et au ventre.

3 Je me suis brûlé les doigts.

4 Elle a eu un accident de ski la semaine dernière. (*Or you could start with* 'La semaine dernière...'.)

5 Elle a rendez-vous chez le médecin demain. (*Or you could start with* 'Demain...'.)

6 Elle est tombée dans l'escalier et s'est cassé le bras.

Activité 29

1 There are various ways of answering the questions, but compare the following (which use only words from the original text) with what you have written:

(a) C'est un programme d'assurance maladie nationale. (*You may have added*: Tous les salariés et toutes les entreprises contribuent à la Sécurité sociale.)

(b) Un généraliste soigne les problèmes de santé courants. Un spécialiste traite (soigne) des problèmes spécifiques.

(c) On peut acheter des médicaments, quelques produits de beauté, des produits de premiers soins ou d'hygiène.

(d) Non, les interventions sont gratuites. (*You may have added*: Mais il faut payer 10.67 ? par jour pour les frais d'hébergement.)

2 Here is the sort of advice you may have given:

(a) Allez chez le médecin.

(b) Allez à la pharmacie et achetez vos médicaments.

(c) Allez à l'hôpital.

(d) Demandez à l'ambassade.

Activité 30

1 Chirurgien.
2 Honoraires.
3 Rhume.
4 Inquiétez.
5 Sparadrap.
6 Téléphoner.
7 Infection.
8 Nez.
9 Estomac.

The name is, of course, Christine.

Activité 31

1 Here is a sample answer which you can compare with your own:

– Pour être en forme, il faut faire beaucoup de sport. Il faut manger sainement et il ne faut surtout pas fumer.

2 The question could have taken one of the following forms:

– Pour être en forme, qu'est-ce que vous faites?

– Pour être toujours en forme, qu'est-ce qu'il faut faire?

You might have said '*en bonne santé*' instead of '*en forme*'.

3 Check your answers on the CD and in the transcript.

Activité 32

1 On the whole, they don't: the majority eat (*65% mangent trop et mal*), drink (*56% boivent trop*) and smoke (*78% fument*) too much and are too stressed (*79% sont stressés*). Fortunately over half of them do some kind of sport / physical activity (*54% pratiquent régulièrement une activité physique*).

2 (a) (4), (b) (7), (c) (11), (d) (8), (e) (3), (f) (9), (g) (5), (h) (2), (i) (6), (j) (10), (k) (1)

Activité 33

The adverbs have been highlighted for you.

1   Il mange **trop** et **mal**.

2   Elle ne dort pas **assez** / pas **suffisamment**. (Elle dort **mal**.)

3   Il dort **suffisamment**.

4   Elle pratique **régulièrement** une activité physique.

5   Elle n'est pas **suffisamment** sportive.

6   Il boit **trop**.

7   Il travaille **trop**.

8   Il sait se détendre **régulièrement**.

Activité 34

1   Lionel. (*'Oui, je fume.'*)

2   (a) Faux. (Pierre ne fume plus.)

    (b) Faux. (Lionel fume depuis dix ans.)

    (c) Vrai.

    (d) Faux. (Maryse a fumé quand elle était adolescente.)

    (e) Vrai.

    (f) Faux. (Mehdi n'a jamais fumé.)

3   Colette – thought it was bad for / harmful to her health (*'c'est tout à fait nocif pour la santé'*).

Maryse – when she was pregnant for the first time (*'j'étais enceinte'*).

4   Il n'a jamais aimé cela et il trouve que c'est très mauvais pour la santé.

Activité 35

1   Ses frères **ne sont jamais allés** à Arles.

2   Mes enfants **n'ont jamais aimé** les huîtres.

3   Jean-Pierre et Claude **n'ont jamais vu / visité** la tour Eiffel.

4   Nous **n'avons jamais visité** la Corse or Nous **ne sommes jamais allés** en Corse.

5   Vous **n'êtes jamais allé(e)(s)** en Espagne? or Vous **n'avez jamais visité** l'Espagne?

6   Je **ne suis jamais sorti(e)** au restaurant or Je **ne suis jamais allé(e)** au restaurant.

7   Edwige **n'a jamais essayé / aimé** les escargots.

Activité 36

1   (a) Je ne fume plus.

    (b) Vous n'avez jamais fumé?

    (c) Je me suis arrêtée de fumer quand j'étais enceinte.

    (d) Je n'ai jamais fumé.

    (e) Je n'ai jamais aimé cela.

    (f) C'est très mauvais pour la santé. (*Colette says*: 'C'est tout à fait nocif...'.)

2   Check your answers on the CD and in the transcript.

NB: In French, 'I've never tried it' is *'Je n'ai jamais essayé'*. In this case, 'it' is not translated.

Activité 37

1   Here is a sample answer which you can compare with your own:

> Tout d'abord, Patricia mange équilibré: elle prend un vrai petit déjeuner le matin, et à midi et le soir elle mange beaucoup de légumes et de fruits. Ensuite, elle ne fume pas du tout et elle boit peu. Elle est un peu stressée au travail parce qu'elle a beaucoup de responsabilités, mais comme elle fait du yoga et du sport, elle dort bien. Donc elle est toujours en bonne santé.

2   Here is a sample answer which you can compare with your own:

> Je pense que pour être en bonne santé il faut manger sainement et pratiquer du sport. Il ne faut pas être

trop stressé au travail et il faut avoir un bon métier. Il faut manger équilibré: trois repas par jour, mais il ne faut pas boire trop d'alcool. Il ne faut jamais fumer, parce que c'est très mauvais pour la santé. Il faut aussi être heureux et se lever tous les jours avec le sourire! Voilà mes conseils.

Activité 38

1 (a) (viii), (b) (v), (c) (vi), (d) (vii), (e) (ii), (f) (iii), (g) (i), (h) (iv)

2 Here is a sample answer which you can compare with your own:

> Si vous ne fumez pas, vous allez améliorer vos performances physiques, augmenter votre espérance de vie et limiter les risques de maladies.

> Si vous ne fumez pas, vous n'allez plus sentir le tabac, et vous n'allez pas déranger les gens qui ne fument pas.

Did you remember to use the infinitive of the verb after *aller*?

3 Si vous fumez, vous allez:

– vivre moins longtemps.

– beaucoup tousser.

– risquer d'avoir plus de maladies.

– perdre le sens du goût.

– mal dormir.

Activité 39

1 Si tu bois trop de café, tu vas mal dormir. (*If you drink too much coffee, you won't sleep well / you're going to sleep badly.*)

2 Si vous faites ce régime, vous allez perdre trop de poids. (*If you follow this diet, you are going to lose too much weight.*)

3 Si Corinne fait du sport régulièrement, elle va être plus en forme. (*If Corinne plays sport regularly, she is going to be in better shape.*)

4 Si Pierre mange trop de fraises, il va être malade. (*If Pierre eats too many strawberries, he's going to be ill.*)

5 Si Carmen ne réussit pas à son examen, son père ne va pas être content. (*If Carmen fails her exam, her father is not going to be pleased.*)

Remember the learning strategy suggested in Unit 6: in a few days' time, try to translate these sentences from English back into French.

Activité 40

1 Si je change de travail, **je vais être moins stressé(e)**.

2 Si je vais à la gym, **je vais me sentir mieux**.

3 Si je mange plus sainement, **je vais perdre du poids**.

4 Si je me couche de bonne heure, **je vais mieux dormir**.

5 Si je ne fume plus, **je vais augmenter mon espérance de vie**.

6 Si je gagne le loto, **je vais acheter une nouvelle voiture**.

Activité 41

1 He's tired, is sleeping badly, and isn't doing any sport.

2 (a) Non, il ne fait plus de sport.

(b) Oui, il a trop de travail.

(c) Non, il n'est jamais malade.

(d) Il est fatigué parce qu'il dort mal / il ne fait plus de sport. (Il ne sait pas ce qui se passe en ce moment.)

3 Check your answers on the CD and in the transcript.

Activité 42

Check your answers on the CD and in the transcript.

Activité 43

1   (a) 2, (b) 4, (c) 1, (d) 3

2   Check your answers on the CD and in the transcript.

Activité 44

Here is a sample answer which you can compare with your own:

> Alors, tu es très fatigue(e)? Eh bien, **tu devrais** te reposer plus. Et **tu devrais** te coucher de bonne heure le soir. **Essaie** de faire une promenade après le diner. Et **il faut** faire un peu d'exercice – du yoga, par exemple. Tu as essayé? Et **si tu prenais** des vacances en montagne? Mais je pense qu'**il faut** aller voir le médecin si tu ne vas pas mieux. Qu'est-ce que tu en penses?

The structures you have learned (such as *tu devrais*, *il faut*, *si* + the imperfect tense), as well as the imperative of the verb, have been highlighted in the answer.

Activité 45

1   The three topics are:

(a)   Whether to ban smoking in public places. (*Est-ce qu'il faut interdire de fumer dans les lieux publics?*)

(b)   Whether to stop eating meat. (*Est-ce qu'il faut arrêter de manger de la viande?*)

(c)   Whether to stop printing on paper. (*Est-ce qu'il faut arrêter d'imprimer sur du papier?*)

2   Pour: Marc, Mélanie, Sophie.

Contre: Christian, Romain, Maria.

Sans opinion: Coralie, Mehdi.

3   Christian: (*contre*) Non, absolument pas.

Marc: (*pour*) Moi je suis pour.

Mélanie: (*pour*) Oui, tout à fait!

Romain: (*contre*) À mon avis il faut continuer à manger de la viande.

Maria: (*contre*) Je ne suis pas d'accord.

Sophie: (*pour*) Je suis pour.

Mehdi: (*sans opinion*) Ça m'est égal.

Activité 46

Here are examples of opinions you might have written:

> **Interdire de fumer dans les lieux publics**
>
> **Je suis d'accord** parce que la fumée, c'est très désagréable, et cela dérange les gens qui ne fument pas. Je n'aime pas du tout l'odeur de (la) cigarette dans un restaurant.

> **Arrêter de manger de la viande**
>
> **Je suis contre**. Il faut manger de la viande pour être en bonne santé – elle contient beaucoup de protéines.

> **Arrêter d'imprimer sur du papier**
>
> **Je ne sais pas**. **Ça ne me dérange pas** de lire un texte sur un écran d'ordinateur, mais je préfère imprimer sur du papier. Pour préserver l'environnement, il faut utiliser du papier recyclé.

Activité 47

1   (a) fumeur, (b) non-fumeur.

2   (a) (viii), (b) (v), (c) (i), (d) (x), (e) (vi), (f) (iii), (g) (iv), (h) (ii), (i) (vii), (j) (ix)

Activité 48

1   (a) (iv), (b) (i), (c) (v), (d) (ii), (e) (iii)

2   Vincent est **sportif**. C'est quelqu'un qui fait beaucoup de **sport**. C'est un **nageur** de compétition. Il est aussi **cycliste** amateur. Côté loisirs, il adore le cinéma et fait partie d'un club de **cinéphiles**.

Activité 49

Here is a sample answer which you can compare with your own:

> Ses parents n'aiment pas du tout la France, mais Anja, c'est une francophile. C'est donc quelqu'un qui adore la France et les Français. Elle visite le pays tous les ans et elle est souvent allée à Paris. Elle voudrait travailler dans une entreprise française pour un an. Elle préfère la cuisine française à la cuisine russe, et elle adore le vin français. C'est aussi une cinéphile. Elle aime surtout les acteurs des années 60 et trouve que les films français sont toujours passionnants.

Activité 50

1 Êtes-vous pour les médecines douces? (*Are you in favour of alternative medicine?*)

   Note that French uses the plural.

2 (a), (c), (e), (g)

3 You should have underlined the following questions:

   — Êtes-vous pour les médecines douces?

   — Vous vous soignez par homéopathie?

   — Est-ce que ça marche, l'acupuncture?

   — Avez-vous essayé la thalassothérapie?

   — À votre avis, est-ce un remède?

4 In these questions, the subject–verb order is inverted, i.e. the verb comes first.

Activité 51

1 Intonation: 1; inversion sujet–verbe: 2, 3; est-ce que...: 4, 5.

2 (a) Quand **est-ce qu'**ils arrivent?

   (b) Quelle heure **est-il**?

   (c) **Tu fumes / Vous fumez** (toujours)?

   (d) Quel âge **a-t-elle**?

   (e) Où **est-ce que** tu vas / vous allez?

   (f) Où **as-tu / avez-vous** mal?

Activité 52

1 Que prenez-vous au petit déjeuner? (Remember to use *prendre* here and not *avoir*.)

2 Que pensez-vous de la télévision?

3 Aimez-vous les huîtres?

4 Où allez-vous?

5 Comment épelez-vous cela?

6 Pouvez-vous répéter, s'il vous plaît?

7 Voulez-vous venir avec nous?

8 Quel âge avez-vous?

9 Que voulez-vous prendre?

10 Quel est votre nom? / Comment vous appelez-vous?

Activité 53

1 He specializes in acupuncture.

2 (a) (ii), (b) (iii), (c) (i), (d) (iii)

3 (a) (vi), (b) (v), (c) (iv), (d) (i), (e) (ii), (f) (iii)

Activité 54

Answers will vary but make sure you have used expressions to state your opinion, such as *je pense que*, *à mon avis*, *je trouve que*.

Activité 55

1 (a) Où allez-vous ce soir?

   (b) Êtes-vous marié(e)?

   (c) Où habitez-vous?

   (d) Quel âge a-t-elle?

   (e) Depuis combien de temps habitez-vous à Paris?

   (f) Pourquoi faites-vous cela?

   (g) Pouvez-vous répéter, s'il vous plait?

2 Check your answers on the CD and in the transcript.

Activité 56

1 Il ne fait **jamais** de sport.

2 Elle pratique **régulièrement** une activité physique.

3 Tu restes mince parce que tu manges **sainement** / **bien**.

4 Il prend du poids parce qu'il mange **trop**.

5 Il faut **bien** / **assez** dormir pour être en forme tous les matins.

6 Les enfants se couchent trop tard: ils ne dorment pas **assez** / **bien**.

Activité 57

1 (a) Faux. Parce qu'elle dort mal.

 (b) Vrai.

 (c) Vrai.

 (d) Faux. Ça fait quelques semaines qu'elle n'a pas fait de sport (elle ne fait plus de sport).

 (e) Faux. Elle travaille à la maison.

2 Here is a sample answer:

 (a) Vous devriez travailler moins.

 (b) Vous devriez manger plus sainement, trois repas par jour.

 (c) Vous devriez faire un peu de sport.

 (d) Vous devriez vous reposer un peu.

 (e) Vous devriez prendre quelques jours de vacances *or* Vous devriez vivre plus sainement *or* Vous devriez aller chez le docteur.

3 – **Est-ce que** vous travaillez toujours pour cette société d'assurances? / **Travaillez-vous** toujours pour cette société d'assurances?

 – **Est-ce que** vous travaillez plus? / **Travaillez-vous** plus?

 – **Mangez-vous** bien? / **Est-ce que** vous mangez bien?

 – **Vous prenez quoi** le soir? / **Que prenez-vous** le soir?

 – **Faites-vous** toujours du vélo? / **Est-ce que** vous faites toujours du vélo?

 – **Est-ce que** vous vous reposez un peu le week-end? / **Vous reposez-vous** un peu le week-end?

Activité 58

1 (a) Ses parents ne vont jamais en Suisse.

 (b) Vous ne travaillez jamais le week-end?

 (c) Elles ne mangent jamais au restaurant.

 (d) Ils ne visitent jamais le Louvre à Paris.

 (e) Je ne pratique jamais de sport.

 (f) Tu ne vois jamais tes cousins?

2 (a) Ses parents ne sont jamais allés en Suisse.

 (b) Vous n'avez jamais travaillé le week-end?

 (c) Elles n'ont jamais mangé au restaurant.

 (d) Ils n'ont jamais visité le Louvre à Paris.

 (e) Je n'ai jamais pratiqué de sport.

 (f) Tu n'as jamais vu tes cousins?

Make sure you check the *passé composé* of each verb, and whether you need to use *avoir* or *être* as well as an agreement (*allés*). Remember also that *ne* changes to *n'* before a vowel.

Activité 59

1 The advertising of sweet drinks (*la publicité pour les boissons sucrées*).

2 (a) (v), (b) (viii), (c) (vii), (d) (xi), (e) (ii), (f) (xii), (g) (ix), (h) (iii), (i) (xiii), (j) (vi), (k) (i), (l) (xiv), (m) (iv), (n) (x)

3   Virginie: (a), (c), (e), (i)

Philippe: (b), (d), (f), (g), (h)

4   You should have underlined the following:

–   Moi, je suis tout à fait pour.

–   Je pense que...

–   Je ne supporte pas... (x 2)

–   Je ne sais pas...

–   Je trouve que...

–   Moi, je ne suis pas contre...

–   À mon avis...

–   Je suis d'accord avec toi.

–   Tu ne penses pas que...?

Activité 60

1   Here is a sample answer which you can compare with your own:

Je suis d'accord avec Virginie: je suis contre la publicité pour les boissons sucrées. Je pense que les enfants ne mangent pas sainement aujourd'hui et ils ne mangent pas assez de fruits et de légumes. Il y a trop de publicité à la télévision et dans les magazines et ce n'est pas un bon exemple pour les enfants. Et si on ne fait rien, les enfants vont devenir obèses. Tous les médecins sont d'accord: le sucre est nocif pour la santé.

2   Check your answers on the CD and in the transcript.

12

Consolidation

The final unit of **B***on départ* is designed to revisit the language you have already met throughout the course. It contains five sessions which revise the language necessary, for instance, for asking questions, talking about yourself, expressing likes and dislikes, talking about the past and expressing opinions. Each session gives you ample opportunity to practise the language in context and to increase your confidence in listening, speaking, reading and writing.

VUE D'ENSEMBLE

Session	Revision Points
1	• Asking questions • Understanding and giving instructions • Making a request
2	• Talking about yourself • Describing places • Saying where places are
3	• Expressing likes and dislikes • Talking about leisure activities • Talking about routines and habits
4	• Using the *passé composé* • Using *depuis, pendant, il y a* • Using the imperfect
5	• Accepting/declining an invitation and giving reasons • Organizing a meeting by phone/e-mail • Expressing opinions

Session 1

Revision Points

- Asking questions
- Understanding and giving instructions
- Making a request

Activité 1 🎧 Extrait 26 _____

1 Listen to the three dialogues in Extract 26 on your CD and choose from the list below where each dialogue takes place.

Écoutez et choisissez les bonnes réponses.

Dialogue 1	Dialogue 2	Dialogue 3

- (a) un aéroport
- (b) la rue
- (c) un centre de conférences
- (d) un musée
- (e) un restaurant
- (f) un taxi
- (g) une gare
- (h) la maison de quelqu'un

2 Listen to the first dialogue again and fill in the table below according to the choice made by the passenger.

Écoutez et remplissez le tableau.

Gare de départ: Heure de départ:	
Change à: Heure d'arrivée: Heure de départ:	
Gare d'arrivée:	

3 Listen to the second dialogue again. Look at the menu below and list what the two women order.

Écoutez et faites la liste des plats.

Menu

Pour commencer:

assiette de charcuterie	7 €
salade de tomates mozzarella	8 €
carpaccio de thon	8,50 €
escargots à la persillade	11 €

Ensuite:

tournedos Rossini	18 €
saumon grillé et ses petits légumes	14 €
sole meunière	18 €
lasagnes de légumes	16 €

Demandez notre carte des desserts au serveur. Nous préparons quelque chose de différent tous les jours!

Et pour accompagner votre repas, nous vous proposons:

vin blanc
vin rosé
vin rouge
eau minérale
jus de fruits … (voir carte de boissons)

---

4 Listen to the third dialogue again and answer the following questions.

Écoutez et répondez aux questions.

(a) What is the purpose of Monsieur Dumas's visit?

(b) Which one of the summaries on the next page matches the instructions he is given?

(i) You take the stairs to the
third floor and turn right.
You go straight to the
end of the corridor and turn left.
Room C123 is on your right.

(ii) You take the lift to the third
floor and turn right. You go straight
to the end of the corridor and
turn left. Room C123 is on
your left.

(iii) You take the lift to the
third floor and turn left.
You go straight to the end of
the corridor and turn left.
Room C123 is on your left.

5 (a) Listen again to Dialogues 1 and 2 and note down the questions you
hear in the table below. Two have been done for you.

Écoutez et remplissez le tableau.

Question with rising intonation	Question with *est-ce que...*
Le premier train pour Pau part à quelle heure, s'il vous plaît?	Où est-ce que je dois changer?

(b) Listen to Dialogue 2 again and write down the verb forms the women
use to order their food and drinks.

Notez les verbes.

(c) Listen to Dialogue 3 again and write down the three different ways
used to indicate directions.

Notez les trois façons d'indiquer le chemin.

1   Fill in the gaps in the following dialogue with the correct question forms. Remember to use *est-ce que* when necessary.

Faites l'exercice.

Jean-Pierre _____ tu vas?

Julie   À Chamonix.

Jean-Pierre _____ tu pars?

Julie   Ben, je pars Dimanche.

Jean-Pierre   Tu voyages _____? En train?

Julie   Oui, c'est plus pratique.

Jean-Pierre   Ton train est _____?

Julie   À huit heures dix.

Jean-Pierre _____ tu restes à Chamonix?

Julie   Une quinzaine de jours.

Jean-Pierre _____ tu vas faire? Du ski?

Julie   Bien sûr, tu parles!

> **Pour poser une question**
>
> Tu as ton billet?
> **Est-ce que** tu as ton billet?
>
> Tu pars **quand**?
> **Quand est-ce que** tu pars?
>
> Tu vas **où**?
> **Où est-ce que** tu vas?
>
> Tu restes **combien de temps**?
> **Combien de temps est-ce que** tu restes?

2   Memorize the part of Jean-Pierre. Listen to Extract 27 and ask Julie the questions in French following the prompts.

Parlez dans les pauses.

1   A friend of yours is driving to Annie's house. Using the vocabulary in the box below left and the map on the next page, tell your friend how to get there from boulevard Leclerc.

Donnez les instructions.

> tourner • prendre • devoir
> • il faut • continuer • aller
> • tout droit • à gauche
> • à droite • la première rue
> • jusqu'aux feux

> **Pour donner des instructions**
>
> **Vous allez** tout droit.
>
> **Tu prends** la première à droite.
>
> **Vous devez continuer** jusqu'aux feux.
>
> **Il faut tourner** à gauche.

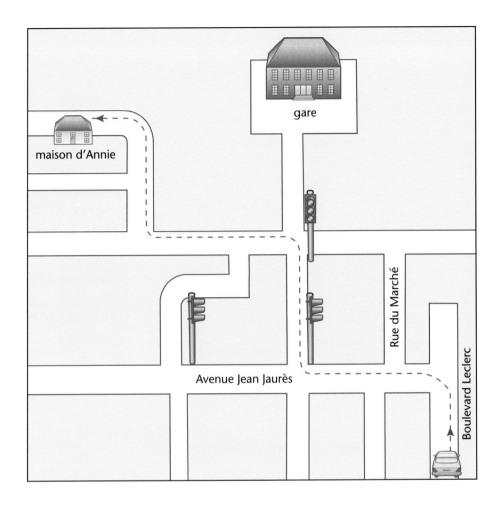

2 Listen to Extract 28 where two other guests, Audrey and Bernard, are trying to get to Annie's. What mistake does Audrey make when she gives Bernard directions from boulevard Leclerc?

Quelle est l'erreur d'Audrey?

1   Look at the menu from Activity 1, step 3. You are vegetarian. Choose your starter and main course accordingly, and decide what you would like to drink.

Choisissez votre menu.

2   Now you'd like to order your meal. Listen to Extract 29 and speak in French in the pauses following the prompts.

Parlez dans les pauses.

> **Pour demander quelque chose**
> Un café **s'il vous plaît**.
> **Pour moi**, un steak-frites.
> **Je voudrais** un Coca.
> **J'aimerais** le saumon grillé.

Activité 5

1   Travelling by train has become easier and faster with the TGV. Read the following three paragraphs and match the correct title to the appropriate paragraph.

Lisez le texte et faites correspondre les titres aux paragraphes.

Paragraph 1	Paragraph 2	Paragraph 3

(a) Le voyage

(b) Comment réserver

(c) La décision est prise

TGV
SENIORS

1   Ma femme et moi, on est tellement bien, dans notre village près de Montpellier, qu'on ne voyage pratiquement jamais. Il a fallu que

Christophe, notre petit-fils, se marie avec une Lilloise pour nous faire prendre le TGV! La Carte Senior étant plutôt destinés aux voyageurs réguliers, nous avons opté pour le tarif Découverte Senior et nous avons voyagé en 1ère classe.

2   La gare de Montpellier a beaucoup changé... Mais pas de problème pour se repérer, tout est bien indiqué. Cinq heures seulement pour rallier Lille, sans passer par Paris, c'est à peine croyable, et quel confort, quel silence... Vers midi et demi, une hôtesse nous a servi notre repas à notre place, on était vraiment comme des rois. Après ça, Renée s'est même endormie, elle qui ne fait jamais la sieste. Nous sommes donc arrivés à Lille dans l'après-midi.

3   Un mariage c'est tellement épuisant à organiser que nous n'avons pas voulu que les petits s'occupent de nous. Nous avons choisi les formules spéciales pour réserver en une seule fois, et à des tarifs très avantageux, nos billets de train, la voiture de location et la chambre d'hôtel. Et tout ça en quelques clics sur voyages-sncf.com. Mais nous aurions aussi bien pu effectuer nos réservations en boutique SNCF, en gare ou en appelant Ligne Directe.

(Adapted from http://www.tgv.com/cibles/senior/index.jsp, last accessed 3.12.03)

2 Now answer the following questions.

Répondez aux questions.

(a) What do you think the couple's age is most likely to be?

   (i)   between 12 and 25

   (ii) between 25 and 60

   (iii) over 60

(b) Where do they live?

(c) Why did they decide to visit Christophe?

(d) How long did their journey take?

(e) What did their booking include?

(f) How did they book?

(g) What are the three other ways of booking?

3 Find in the text the equivalent phrases for the following:

Trouvez les équivalents.

(a) Comme la Carte Senior est plutôt faite pour les voyageurs réguliers...

(b) que c'est confortable, que c'est silencieux

(c) C'est le mariage de notre petit-fils avec une Lilloise qui nous a fait prendre le TGV!

Activité 6 🎧 Extrait 30

Listen to Extract 30 and ask Julie some questions by speaking in French in the pauses following the prompts.

Parlez dans les pauses.

Activité 7

Annie has invited Jean-Pierre to a party. He will be arriving by train. Taking the role of Annie, write an e-mail to Jean-Pierre. Ask him when he's coming, what time the train arrives and how long he's going to stay; give him directions from the station to Annie's house; and ask him to bring some wine. Use the map from Activity 3.

Écrivez un courriel.

Session 2

Revision Points

- Talking about yourself
- Describing places
- Saying where places are

Activité 8 🎧 Extraits 31 et 32

1 (a) Listen to Extract 31, where three people talk about themselves, and match each person with where they come from and what they do.

Faites correspondre les noms, les lieux d'origine et les occupations.

Philippe	Besançon	Employé de banque
Maryse	Département de la Marne	Militaire
Francis	La Rochelle	Assistante maternelle

(b) Answer the questions.

Répondez aux questions.

(i) What does Maryse's job involve?

(ii) Which town is located by the sea?

(iii) Who will soon be retiring?

2   Listen to Extract 32 where the three people from step 1 talk about their place of birth in more detail. Using the information in the box fill in the table below, associating the three towns with the appropriate features.

Remplissez le tableau.

> le champagne • des remparts • des panoramas • la mer •
> une rivière • une forêt • des monuments • la guerre 14–18
> • des champignons • des monuments

La Rochelle	
Besançon	
Sainte-Ménehould (département de la Marne)	

3   (a) Listen again to Extract 32 and answer the following questions. Do not check your answers before completing (b).

Répondez aux questions.

   (i)   Which two towns are described as particularly dynamic?

   (ii) Which two people say they like their birthplace because they were born there?

   (b) Read the transcript of Extract 32 and write down in French the words that give the answers to (a).

   Trouvez les mots qui répondent à la question (a).

4   Read the transcript of Extract 32 and write down the four sentences explaining the location of the three towns.

Écrivez les phrases.

Activité 9  Extrait 33

Now talk about yourself, where you come from and what you do. Listen to Extract 33 and speak in the pauses, taking care to use full sentences.

Parlez dans les pauses.

soi
oneself

> **Pour parler de soi**
>
> **Je m'appelle** Paul.   **J'habite** à Paris.
>
> **Et moi, c'est** Annie.   **J'ai** 22 ans.
>
> **Je suis** français(e).   **J'ai** un frère et une sœur.
>
> **Je suis né(e)** à Bordeaux.   **Je suis** comptable.

Colette is talking about Bréjac, the village where she lives. Fill in the gaps using the adjectives in the box below.

Complétez.

> intéressants • vieux • tranquille • belle • étroites •
> reposant • ancien (*former*) • provençal

Bréjac est un village de 5 000 habitants. C'est un _____ village.
Les rues sont _____ . C'est un village typiquement _____ . Il y
a beaucoup de bâtiments _____ , une très _____ mairie qui
domine tout le village. C'était un _____ château. J'aime beaucoup
Bréjac. C'est un village bien _____ et _____ .

> **Pour décrire avec les adjectifs**
>
> C'est un **beau** village.
>
> La Rochelle est une **grande** ville.
>
> Il y a un **vieux** château.
>
> C'est un monument **intéressant**.
>
> La forêt d'Argonne est une forêt **immense**.
>
> Le cœur **historique** de la ville est **superbe**.

1   Following the example, write full sentences to explain the location of the four towns given on the next page.

Faites des phrases.

Exemple

> **Les Pennes Mirabeau** – ville – 20 000 habitants –
> un quart d'heure de voiture de Marseille

→ Les Pennes Mirabeau, c'est une ville de 20 000
habitants qui est située/qui se trouve à un quart d'heure
de voiture de Marseille.

Bordeaux – ville portuaire – environ 800 500 habitants – 98 km de la côte atlantique

La Rochelle – port de pêche – 160 000 habitants sur la côte atlantique

Besançon – ville fortifiée – 130 000 habitants – sur le Doubs

Sainte-Ménehould – petite ville – environ 5 400 habitants – à proximité de la forêt d'Argonne

2 Following the model in step 1, write one sentence describing your home town or the place where you live.

Écrivez une phrase.

C'est … qui

C'est une ville **qui** se trouve à côté de Paris.

C'est un petit village **qui** est situé sur le Lot.

C'est une ancienne gare **qui** va être rénovée.

C'est un château **qui** domine la vallée.

1   Read the following text on Sainte-Ménehould and answer the questions.

Répondez aux questions.

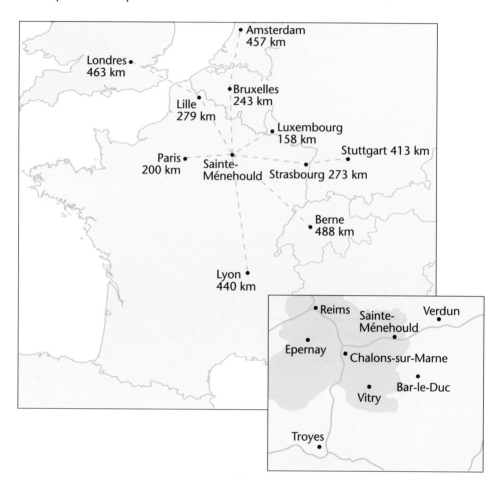

Sainte-Ménehould

Sainte-Ménehould est une ville d'environ 5 400 habitants. Elle se trouve dans le département de la Marne et en plein cœur du pays d'Argonne qui comprend également les communes de Givry en Argonne et Vienne le Château. Aux confins de la Champagne et tout à côté de la forêt d'Argonne, Sainte-Ménehould est une ville pittoresque et accueillante qui vous offre 13 hôtels, 4 chambres d'hôtes, 19 gîtes ruraux et 8 campings.

Avec 40% de son territoire couvert de forêt, l'Argonne vous propose de nombreuses activités agréables. On y pratique la randonnée pédestre, le VTT, la cueillette des champignons et la chasse. Mais si vous aimez l'histoire, vous pouvez aussi visiter des sites historiques et notamment

une commune
a town

aux confins de
on the edge of

la cueillette
picking (e.g. fruit)

les vestiges importants des tranchées faites pendant la guerre de 14–18. Plus de 36 000 soldats français morts au cours des deux guerres reposent dans les cimetières de l'Argonne.

L'héritage historique de Sainte-Ménehould n'est pas seulement triste. Sainte-Ménehould est aussi la ville qui a donné naissance au très célèbre Dom Pérignon, père fondateur du champagne. En effet, c'est lui qui a donné au champagne ses fameuses bulles!

une bulle
a bubble

(Adapted from http://www.tourisme.fr/office-de-tourisme/sainte-menehould.htm and http://www.ville-sainte-menehould.fr, last accessed 22.6.04)

(a) What are the two other towns mentioned as part of the Argonne?

(b) If you want to stay overnight in Sainte-Ménehould, what are the options?

(c) What can you do in the forêt d'Argonne?

(d) What can you visit if you are interested in military history?

(e) What is Sainte-Ménehould's claim to fame regarding champagne?

2 Read the phrases below, which are taken from the text, and find the equivalents for the expressions in bold in what Francis says in Extract 32.

Trouvez les équivalents.

(a) **Elle se trouve** dans le département de la Marne.

(b) **Tout à côté de** la forêt d'Argonne.

Activité 13 🎧 Extrait 34

1 Read the following information about Bordeaux and memorize it.

Mémorisez l'information.

- Bordeaux; ville et port

- environ 90 km de la côte atlantique

- à proximité de la mer

- ville magnifique, très beaux monuments, très belle architecture

- région célèbre pour ses vins

2 Listen to Extract 34 and speak in French in the pauses, following the prompts and using the information from step 1.

Parlez dans les pauses.

Activité 14

Write no more than 100 words about the place where you were born or lived for a while, explaining its location and good points. Give three reasons why you particularly like/liked it.

Écrivez un petit texte.

Session 3

Revision Points

- Expressing likes and dislikes
- Talking about leisure activities
- Talking about routines and habits

Activité 15 Extrait 35

1   Listen to Extract 35 where Michel answers some questions about leisure activities. Choose from the list below what the three dialogues are about.

Choisissez les bonnes réponses.

Dialogue 1	Dialogue 2	Dialogue 3

(a) shopping   (d) cinema

(b) music   (e) sport

(c) television

2   (a) Listen again to Dialogue 1 in Extract 35 and fill in the table below in French according to what Michel says.

Remplissez le tableau.

Sports	Fréquence

(b) What do we know about Michel's job?

Que fait Michel?

3　(a)　Listen again to Dialogue 2 in Extract 35 and tick the types of film Michel likes.

Choisissez les bonnes réponses.

(i)　Les drames　❑

(ii)　Les films d'action　❑

(iii)　Les films de guerre　❑

(iv)　Les films d'aventure　❑

(v)　Les films d'épouvante　❑

(vi)　Les comédies　❑

(b)　What happens when his wife wants to see a horror film?

Répondez à la question.

4　Listen again to Dialogue 3 in Extract 35 and say whether the following statements are true or false. Correct any false statements.

Vrai ou faux? Corrigez les informations incorrectes.

	Vrai	Faux
(a) Michel joue de plusieurs instruments de musique.	❑	❑
(b) Sa femme joue du piano et de la guitare.	❑	❑
(c) Michel aime le rock des années soixante.	❑	❑
(d) Il déteste beaucoup de chanteurs français.	❑	❑
(e) Il adore la musique classique.	❑	❑

5 Read the transcript of Extract 35 and answer the following questions.

Notez les phrases que Michel utilise.

(a) Write down the four sentences used by Michel to talk about the sports he does.

(b) Write down the expressions Michel used to talk about things he dislikes.

Activité 16

Fill in the gaps with the correct form of *jouer*, *aller*, *faire* and *pratiquer*.

Complétez le texte.

Le père de Michel est à la retraite et pourtant il _____ toujours autant d'activités. Le lundi, il _____ au squash avec un ami et puis il _____ à la salle de gym pendant une heure. Le jeudi, il _____ du VTT en forêt ou bien des randonnées pédestres. Tous les week-ends, lui et sa femme Fatima vont _____ du piano et de la trompette dans un club de jazz. Fatima est presqu'aussi active que son mari. Elle _____ de l'aqua-gym et _____ souvent marcher avec des amies.

> **Pour parler de vos loisirs**
> Je **vais au** cinéma.
> Nous **allons à** la piscine.
> Je **pratique** la natation.
> Je **joue au** tennis.
> Il **joue aux** échecs.
> Je **fais du** vélo.
> Vous **faites de** la randonnée?
> Elle **joue du** piano et **de** la guitare.

Activité 17 Extrait 36

1 Using the verbs in the box and the lists below, write sentences to describe the activities Michel's wife likes and dislikes.

Faites des phrases.

> aimer bien • aimer beaucoup • adorer • détester • supporter • avoir horreur de

• les films d'épouvante	• faire les courses
• aller au restaurant avec des amis	• les voyages organisés
• regarder la télévision	• s'occuper du chien
• faire la grasse matinée	• les téléphones portables

faire la grasse matinée
to have a lie-in

2   Now listen to Extract 36 and practise some of the structures from step 1.
    Take the part of Michel's wife and speak in French in the pauses,
    following the prompts.

Parlez dans les pauses.

> **Pour parler de vos goûts**
> J'**aime bien** sortir.
> Il **aime beaucoup** le théâtre.
> J'**adore** faire des randonnées.
> Tu **n'aimes pas** le chocolat?
> Nous **détestons** faire du sport.
> J'**ai horreur de** m'occuper du chien.

Activité 18

Read the flyer for a music and dance club overleaf and find an activity to match
each of the expressions of frequency listed below it.

Faites correspondre les expressions aux activités.

> **Cette année, le club de musique et de danse Saint-Clair vous propose:**
>
> • de nombreux cours du soir
>   - danse classique pour débutants: lundi et jeudi
>   - danse moderne: mardi, mercredi et samedi
>   - piano, guitare et clarinette: du lundi au samedi
>   - yoga et tai-chi: dimanche
>
> • des mini-conférences tous les premiers samedis du mois.
>
> *Pour de plus amples renseignements, veuillez nous appeler au...*
>
> ...06.68.89.54.20.

1 tous les jours de la semaine sauf le dimanche

2 tous les dimanches

3 deux fois par semaine

4 trois fois par semaine

5 une fois par mois

Activité 19

You are interviewed by a French local radio station about sport, cinema and music (which sports you do and how often, which music and films you like/dislike etc.). Speak for a minute. You may wish to record yourself on a cassette.

Parlez de vos loisirs.

> **Pour dire combien souvent**
>
> Je vais **souvent** à la pêche.
>
> Elle va **rarement** au cinéma.
>
> Nous n'allons **jamais** au théâtre.
>
> Je fais du tennis **trois fois par semaine**.
>
> Je joue au badminton **tous les jeudis**.

Activité 20

You are on a winter holiday with Anna, a friend. Using the website extract on the next page write a postcard to a different friend, telling him/her what you are doing. Make sure you use some of the language structures you have been revising in this session.

Écrivez une carte postale.

Vacances à Saint-Lary-Soulan dans les Pyrénées
(environ 100 km de Toulouse)

* **Randonnées (les lundis et jeudis)**

* **Cours de ski et de snowboard (du lundi au samedi)**

* **Visite de Toulouse (samedi uniquement)**

* **Centre de relaxation: sauna et piscine**

Session 4

Revision Points

- Using the *passé composé*
- Using *depuis, pendant, il y a*
- Using the imperfect

Activité 21 🎧 Extraits 37 et 38

le prêt-à-porter
clothes off-the-peg

1   Listen to Extract 37. What is Cécile asked about?

Choisissez la bonne réponse.

(a) her past jobs and future prospects   ☐

(b) her current job and past career   ☐

(c) her current job and future prospects   ☐

2   Listen again to Extract 37 and answer the following questions in French.

Répondez aux questions.

(a) Dans quel genre de magasin est-ce qu'elle travaille actuellement?

(b) Combien d'emplois a-t-elle occupés?

(c) Lesquels?

(d) Quelle formation a-t-elle?

3   Listen again to Extract 37 and fill in Cécile's CV with the missing information.

Remplissez le CV.

Expérience professionnelle
2003–2005 (présent): _____
2000–2003: _____
1996–2000: _____

Formation
1996: _____
2001: _____

4   Which tenses does Cécile use to answer the questions?

Trouvez les temps utilisés.

5   Listen to Extract 38 and write down the first question Pierre, Colette and Philippe are asked.

Trouvez la question.

une grande
surface
a hypermarket

6   Listen again to Extract 38 and complete the table below.

Remplissez le tableau.

Names	Job and/or place of work	Tasks
Pierre		
Colette		
Philippe		

7   Listen again and answer the questions.

Répondez aux questions.

(a) Who is the only person who has bad memories of his/her first job?

(b) Why?

(c) What are Colette's memories like? And why?

8   What is the main tense used by Pierre, Colette and Philippe?

Trouvez le temps utilisé.

1   Write sentences to explain what François did today using the prompts below. Make sure you use the *passé composé*.

Écrivez des phrases.

– lire ses courriels

– taper des lettres

– contacter des clients

– manger à la cantine

– aller à une réunion

– prendre des notes à la réunion

– taper le compte-rendu de la réunion

– rentrer à la maison à 6 h 30

> **Le passé composé**
>
> J'**ai mangé** à midi.
>
> Elle **a pris** un café.
>
> Nous **avons contacté** des clients.
>
> Je **suis parti(e)** tôt.
>
> Elles **sont rentrées** à 8 heures.
>
> Il **est monté** à Paris.

2   Now take the part of François. Listen to Extract 39 and speak in French in the pauses, following the prompts and using the information from step 1.

Parlez dans les pauses.

Activité 23 _____

Mehdi is retired. Fill in the gaps with *depuis, pendant, il y a*.

Faites l'exercice.

> J'ai 62 ans. J'ai décidé d'arrêter de travailler _____ deux ans. Oui, je suis à la retraite _____ deux ans! Mais vous savez, j'ai commencé à travailler à 16 ans et quand on a travaillé _____ une bonne quarantaine d'années, on est vraiment content de pouvoir arrêter. Ma femme travaille encore. Elle est enseignante dans un lycée _____ l'âge de 35 ans et elle adore ça. Elle n'a pas travaillé _____ dix ans, entre 25 et 35 ans parce que nous avons eu des enfants. Mais maintenant, _____ que je suis à la retraite, je profite de la vie. C'est fantastique.

> **Depuis, pendant, il y a**
>
> Je **travaille depuis** deux mois.
>
> Il **est** technicien **depuis** janvier 2002.
>
> Nous **avons habité** à Paris **pendant** cinq ans.
>
> Elles **sont parties il y a** dix ans.

Using the imperfect tense and the prompts from Activity 22, say what Michelle did when she was a secretary. You may wish to record yourself on a cassette.

Que faisait Michelle?

Quand elle était secrétaire, Michelle...

> **L'imparfait**
> Je **travaillais** tard.
> Elle **rentrait** de bonne heure.
> Nous **faisions** des randonnées tous les jours.

1   Read the texts and answer the two questions.

Répondez aux questions.

(a) Who is working?

(b) Who is still studying?

C'est technique, c'est pour elle

Microtechnicienne

Je mesure 1,55 m et depuis toujours j'entends: 'small is beautiful'! Pourtant, tout le monde s'est étonné lorsque j'ai commencé ma terminale F10, technologique microtechnique, je ne vois pas pourquoi! Après, je veux faire un BTS microtechniques et dans cinq ans, si votre téléphone n'est pas plus grand qu'une K7, j'y serai sûrement pour quelque chose! **Sylvie, 17 ans (bac F10, technologique microtechniques)**

une K7 =
une cassette
a cassette

je serai
I will be

Céramiste

Si je vous dis que je travaille dans la poterie, ça fait ringard. Mais ma poterie à moi s'appelle la céramique. Et c'est avec ça qu'on fait le nez des fusées ou les prothèses dentaires! Ce que je voulais avant tout, c'est faire du concret et entrer vite dans la vie active. C'est fait. **Karine, 20 ans (Brevet de Technicien céramiste)**

Logisticienne de transport

'DUT transport-logistique: pour homme de méthode et d'avenir', disait la pub, à peine sexiste. Naturellement, j'y suis allée. Aujourd'hui, dans la boîte où je travaille, le sort des produits frais, et leurs moyens de transports, ne dépendent que de moi... et peut-être un peu de l'informatique... **Isabelle, 24 ans (DUT transport-logistique)**

Technicienne de maintenance

Travailler dans un bureau toute la journée, c'est pas mon truc. Alors j'ai trouvé ce que j'allais faire: après mon bac, un DUT pour devenir technicienne de maintenance! Aller d'une usine à l'autre, pour entretenir ou réparer toutes sortes de machines, ça me plaît bien. Non seulement je serai indépendante mais en plus dans ce métier, on est sûr de trouver du boulot. **Lise, 17 ans (DUT de maintenance industrielle)**

Dessinatrice CAO

Quand j'étais petite, je croyais que j'étais nulle en dessin. Et maintenant, vous savez ce que je fais? Je prépare un BTS pour être dessinatrice. Conception Assistée par Ordinateur, CAO. C'est drôle non? **Hélène, 20 ans (BTS conception des produits industriels)**

(Adapted from a poster produced by le Secrétariat d'État aux Droits des Femmes et à la Vie Quotidienne – Ministère du Travail, de l'Emploi et de la Formation Professionnelle)

2 Fill in the table below in French with each person's qualifications as already done for Lise. Not all the spaces need to be filled in.

Remplissez le tableau.

	Qualifications obtenues	Qualifications en préparation	Qualifications en projet
Sylvie			
Karine			
Isabelle			
Lise	bac	DUT de maintenance industrielle	
Hélène			

une fusée
a rocket

3   Now look at some of the vocabulary from the texts. Find in the second column below the equivalents for the expressions in the first column.

Faites correspondre les mots.

(a) les prothèses dentaires	(i) j'aime bien
(b) s'est étonné	(ii) s'occuper de
(c) lorsque	(iii) a montré de la surprise
(d) entretenir ou réparer	(iv) les fausses dents
(e) ça me plaît bien	(v) quand

4   Without looking in your dictionary, find a French equivalent for the words and expressions below taken from the texts.

Trouvez des équivalents.

(a) la boîte

(b) ringard

(c) c'est pas mon truc

(d) du boulot

(e) nulle (en dessin)

Activité 26

During an evening out with some French friends, you are asked about your first job. Talk for no more than one minute, recording yourself on a cassette.

Parlez de votre premier emploi.

–   Say what job you had or where you worked.

–   Explain what it entailed.

–   Give two reasons why you liked it or didn't like it.

Activité 27

Write no more than 100 words on the jobs you've done, how long for and your current occupation or status. You can make it up if you prefer. Make sure you use the *passé composé*, the imperfect tense and *depuis, pendant* and *il y a*.

Écrivez un petit texte.

Revision Points

- Accepting/declining an invitation and giving reasons

- Organizing a meeting by phone/e-mail

- Expressing opinions

Activité 28 Extrait 40 ─────────────────────

1 Listen to Extract 40. What do the two dialogues have in common?

Répondez à la question.

2 Listen again to Extract 40 and answer the questions.

Répondez aux questions.

Dialogue 1

(a) Why is Sylvie ringing Marie?

(b) What film is mentioned?

(c) What time is the film?

(d) Has Marie already seen the film?

(e) What is the outcome of the conversation?

Dialogue 2

(f) What does Madame Dumas want?

(g) What are the options she is offered?

(h) What is the outcome?

3 Listen again to Extract 40. Read the two short texts below and correct any information which is wrong.

Corrigez les informations fausses.

(a) Marie ne peut pas aller au cinéma parce qu'elle travaille jusqu'à six heures et demie. Elle doit aussi aller voir des amis.

(b) Madame Dumas peut prendre rendez-vous pour le mardi à cinq heures et demie parce que c'est plus pratique et plus tard.

Pouvoir, vouloir et devoir	
Tu **veux** venir avec nous?	Elle ne **peut** pas sortir.
Vous **voulez** un chocolat?	Je **dois** travailler.
Je **peux** vous proposer un thé.	Nous **devons** partir tôt.

1   You have received this e-mail from Patrick. Thank him but decline his invitation giving a reason. Use *pouvoir* and *devoir* appropriately.

Écrivez un courriel.

P.Martin
_____

Auteur: P.Martin@magadou.fr

Date: 7 juin 12.02

Adresse: étudiant@open.ac.uk

Objet: Week-end

Salut!

On va faire une randonnée en montagne ce week-end.
Tu veux venir avec nous?

Patrick

---

2   Listen to Extract 41 and speak in French in the pauses following the prompts.

Parlez dans les pauses.

Activité 30 _____

Madame Dumas, whom you met in Activity 28, has changed her mind and decided she would prefer the earlier appointment with a solicitor. Take her role and write an e-mail to the solicitor's secretary, including the following information.

Écrivez un courriel.

–   Remind the secretary of the date and time of the appointment you previously made.

–   Say you'd now prefer the Tuesday appointment.

–   Give two reasons why, using *plus*.

–   Ask if the appointment is still available.

> **Plus, moins, aussi**
>
> C'est **plus** pratique et **moins** fatigant.
>
> C'est **aussi** loin.

Activité 31 🎧 Extrait 42

1   Listen to Extract 42 where four people are interviewed. What do you think the question might have been? Write your answer in French.

Trouvez la question.

2   Listen again to Extract 42 and tick each speaker's reaction (for, against, no opinion), and fill in the last column. The first one has been done for you.

Remplissez le tableau.

	For	Against	No opinion	Why?
Michel		✓		It's dangerous and we can live without it.
Pascale				
Thomas				
Séline				

3   Read the transcript of Extract 42 and find the following:

Trouvez les expressions.

(a) Five ways to express opinions.

(b) An equivalent to *je préfère*.

Activité 32

1   Read the text and answer the questions.

Répondez aux questions.

(a) What does *en* stand for in the title?

(b) Which group of people is looked at in the text?

(c) When was the survey conducted?

> **Tiscali Europe**
>
> *T'en veux? J'en ai!*
>
> Certains ont essayé, d'autres en consomment régulièrement. Cannabis, ecstasy, héroïne et autres substances s'immiscent dans le quotidien des jeunes européens. Qu'en pensent-ils? Qu'en font-ils? Sont-ils conscients des dangers et savent-ils où s'en procurer?
>
> Tour d'horizon européen à travers quelques chiffres issus de l'enquête Eurobaromètre d'octobre 2002...

Dans les faits

Alors que plus d'un jeune européen sur quatre (28,9%) a déjà essayé le cannabis, 11,3% disent en avoir consommé au cours du dernier mois. Pour les autres drogues, les pourcentages tombent. 8,8% des jeunes européens ont déjà essayé d'autres substances et 2,7% affirment en avoir pris au cours du dernier mois. Les pays membres de l'UE les plus concernés par la consommation de ces deux types de drogue sont le Royaume-Uni où 13,4% des jeunes consomment du cannabis et 4,4% d'autres substances comme l'ecstasy et l'héroïne, l'Espagne (15% et 3,7%) et les Pays-Bas (12,2% et 3,2%).

S'en procurer...

Une majorité de jeunes européens estime pouvoir se procurer de la drogue facilement dans les soirées (76%), les bars ou discothèques (72,3%), à proximité de son domicile (61,9%) et à l'intérieur ou près des établissements scolaires (54,9%).

(Adapted from http://www.europe.tiscale.fr/societe/actualites/200304/15/drogues.html, last accessed 4.12.03)

2   Read the text again and answer the following questions.

Répondez aux questions.

(a) How many young Europeans have already tried cannabis?

(b) What does the figure 11.3% correspond to?

(c) What do the figures 76% and 54.9% correspond to?

3   Rank in order of ease the places where the majority of young Europeans can get hold of drugs.

Mettez dans l'ordre, du plus facile au plus difficile.

(a) Not far from home

(b) Parties

(c) Inside or near schools

(d) Bars and nightclubs

4   Fill in the blanks with *plus*, *moins* or *aussi* according to the information given in the text.

Complétez.

Les jeunes consomment _____ facilement le cannabis que les autres drogues. En Grande Bretagne la situation, en ce qui concerne l'ecstasy et l'héroïne est _____ grave qu'aux Pays-Bas. C'est _____ facile de trouver de la drogue près des écoles que dans les soirées. Mais c'est presque toujours _____ facile de s'en procurer dans les bars ou les discothèques.

Activité 33

1   Do you think some drugs should be made legal? Write no more than 70 words on the subject, giving your opinion and reasons. Draw your inspiration from Extract 42.

Écrivez un petit texte.

2   Now that you are familiar with the different ways of expressing opinions, prepare a short talk in which you are giving your opinion about one of the following:

Donnez votre opinion.

– les sports extrêmes

– les médecines douces

– le fast-food

> **Pour donner son avis**
>
> **À mon avis**, il faut faire attention à sa santé.
>
> **Je trouve que** c'est un sujet complexe.
>
> **Je pense que** tout ça n'est pas sérieux.
>
> **J'aime mieux** ne pas répondre.
>
> **Je suis pour**.
>
> **Je suis contre**.

We hope you enjoy using the French you have learned in L192.

Corrigés

Activité 1

1 Dialogue 1 (g), Dialogue 2 (e), Dialogue 3 (c)

2

Gare de départ:	Paris Montparnasse
Heure de départ:	8 h 22
Change à:	Bordeaux
Heure d'arrivée:	11 h 25
Heure de départ:	12 h 02
Gare d'arrivée:	Pau

3 You should have listed:

salade de tomates mozzarella

carpaccio de thon

saumon grillé et ses petits légumes

sole meunière

vin blanc

4 (a) He is attending a conference on solar energy.

(b) (ii)

5 (a)

Question with rising intonation	Question with est-ce que...
Le premier train pour Pau part à quelle heure, s'il vous plaît?	Où est-ce que je dois changer?
C'est bien un TGV jusqu'à Bordeaux?	Est-ce que je vous réserve une place?
On prend un demi de vin rosé?	Qu'est-ce que vous prenez, mesdames?
Tu ne préfèrerais pas du blanc avec le poisson?	

(b) The women use *j'aimerais* and *nous voudrions*. They could have also used *je voudrais*. Remember that you can also order your food and drinks by simply stating what you want followed by *s'il vous plaît*.

(c) The following three ways were used:

Vous allez à droite. Je tourne à gauche. (*present tense*)

Vous devez tourner à gauche. (devoir + *verb in the infinitive*)

Il faut prendre l'ascenseur. Il faut aller à droite. (il faut + *verb in the infinitive*)

Activité 2

1 **Jean-Pierre Où est-ce que** tu vas? (*Note that you wouldn't normally say* Où tu vas?)

Julie À Chamonix.

Jean-Pierre Quand est-ce que tu pars?

Julie Ben, je pars dimanche.

Jean-Pierre Tu voyages **comment**? En train?

Julie Oui, c'est plus pratique.

Jean-Pierre Ton train est **à quelle heure**?

Julie À huit heures dix

Jean-Pierre Combien de temps est-ce que tu restes à Chamonix?

Julie Une quinzaine de jours.

Jean-Pierre Qu'est-ce que tu vas faire? Du ski?

Julie Bien sûr, tu parles!

You may recall that in Unit 11 you met a third way of asking questions – by inverting the subject and the verb (e.g. *Comment voyages-tu?*) although this is not used as much.

2 Check your answers on the CD and in the transcript.

Activité 3

1 You could have said something like this:

> Tu tournes à gauche et puis il faut continuer tout droit jusqu'aux feux. Et ensuite, tu vas à droite. Là tu dois prendre la première rue à gauche. Tu continues tout droit et tu prends la première rue à droite. Il faut continuer tout droit et c'est sur la gauche.

Did you remember to use the *tu* form of the verbs?

2 She made Bernard turn left (*tu dois tourner à gauche*) at the traffic lights rather than right.

Activité 4

1 Unless you eat fish, you could only have chosen the *salade de tomates mozzarella* and the *lasagnes de légumes*. The drink is up to you.

2 Check your answers on the CD and in the transcript.

Activité 5

1 Paragraph 1 (c), Paragraph 2 (a), Paragraph 3 (b)

2 (a) (iii) They chose (*nous avons opté pour...*) the *tarif Découverte Senior* and have a grandson who is getting married (*notre petit-fils se marie...*).

   (b) in a village near Montpellier (*dans notre village près de...*)

   (c) He's getting married. (See (a) above.)

   (d) five hours (*cinq heures seulement pour rallier Lille*). Here the verb *rallier* means 'to reach'.

   (e) their train ticket, car rental and hotel (*nos billets de train, la voiture de location et la chambre d'hôtel*)

   (f) on the Internet (*Et tout ça en quelques clics sur* <u>voyages-sncf.com</u>.)

   (g) in an SNCF shop (*en boutique SNCF*), in a railway station (*en gare*), by ringing a hotline (*en appelant Ligne Directe*)

3 (a) La Carte Senior étant plutôt destinée aux voyageurs réguliers...

   (b) quel confort, quel silence

   (c) Il a fallu que notre petit-fils se marie avec une Lilloise pour nous faire prendre le TGV!

Activité 6

Check your answers on the CD and in the transcript.

Note that you could have used *partir* instead of *aller* in: *Quand est-ce que tu* **vas/pars** *à Nice?*

Activité 7

Here is a sample answer which you can compare with your own. Make sure you asked all the questions, and tried to vary the structures you used to give directions.

> Salut Jean-Pierre!
>
> Quand est-ce que tu arrives? Vendredi ou samedi? Ton train arrive à quelle heure? Tu restes combien de temps?
>
> Pour venir chez moi, c'est facile. Tu vas tout droit et tu continues jusqu'aux feux. Ensuite tu dois tourner à droite. Et puis, il faut continuer un peu et prendre la première rue à droite. Ma maison est sur la gauche après le virage (*the bend*).
>
> Est-ce que tu peux apporter du vin?
>
> Bon voyage, et à bientôt.
>
> Bises
>
> Annie

Activité 8

1 (a) Philippe, La Rochelle, Militaire

      Maryse, Besançon, Assistante maternelle

      Francis, Département de la Marne, Employé de banque

   (b) (i) She looks after other people's children in her home (*à mon domicile*).

      (ii) La Rochelle (*un joli port de pêche*)

      (iii) Francis (*bientot à la retraite*)

2 La Rochelle: la mer, des monuments

   Besançon: des remparts, une rivière (le Doubs)

   Sainte-Ménehould: le champagne, des panoramas, une forêt, des monuments, la guerre 14–18, des champignons

3 (a) (i) La Rochelle and Besançon

      (ii) Philippe and Maryse

   (b) (i) l'été elle est très animée / c'est une ville qui bouge culturellement

      (ii) c'est ma ville natale / c'est la ville où je suis née

4 Philippe: La Rochelle est une petite ville en bord de mer...

   Maryse: C'est une ville située sur le Doubs.

   Francis: ... cette ville est située en Champagne... / ... c'est une ville qui est située en bordure de la forêt d'Argonne.

   Did you notice that the interviewer used *c'est ... qui est au milieu de(s)* to locate the historical centre of Besançon?

Activité 9

Answers will vary according to personal circumstances but check you used the right verbs:

être + nationality, occupation

avoir + age.

Also check you made any necessary agreement:

je suis anglais / je suis étudiant (if you are male)

je suis anglaise / je suis étudiante (if you are female).

Activité 10

Bréjac est un village de 5 000 habitants. C'est un **vieux** village. Les rues sont **étroites**. C'est un village typiquement **provençal**. Il y a beaucoup de bâtiments **intéressants**, une très **belle** mairie qui domine tout le village. C'était un **ancien** château. J'aime beaucoup Bréjac. C'est un village bien **tranquille** et **reposant**.

The adjective *ancien* means 'former' when placed before the noun, but 'old' when placed after the noun (*c'est un village ancien*). You could have swapped around *tranquille* and *reposant*.

Activité 11

1 Bordeaux, c'est une ville portuaire d'environ 800 500 habitants qui est située à 98 km de la côte atlantique.

   La Rochelle, c'est un port de pêche de 160 000 habitants qui se trouve sur la côte atlantique.

   Besançon, c'est une ville fortifiée de 130 000 habitants qui est située sur le Doubs.

   Sainte-Ménehould, c'est une petite ville d'environ 5 400 habitants qui se trouve à proximité de la forêt d'Argonne.

2 Answers will vary according to personal circumstances but check that you've used *c'est... qui est situé(e)/se trouve...*

Activité 12

1 (a) Givry en Argonne and Vienne le Château

   (b) hotels, B&Bs (*chambres d'hôtes*), *gîtes*, campsites

   (c) walking, mountain biking, picking mushrooms, hunting, visiting historic sites

   (d) The remains of the trenches from the First World War and the cemeteries where over 36,000 French soldiers, who died during both wars, are buried.

   (e) Sainte-Ménehould is the birthplace of Dom Pérignon who invented champagne, giving it its famous bubbles!

2 (a) Cette ville est située...

   (b) En bordure de...

Activité 13

2 Check your answers on the CD and in the transcript.

Activité 14

Answers will vary but you could have used Extract 32 as a source of inspiration and modelled some of your sentences on what Francis, Maryse or Philippe said. Check that you used a variety of adjectives and the *c'est ... qui* structure.

Here is a sample answer which you can compare with your own.

> Je suis né(e) à X. C'est une ville de 20 000 habitants qui est située dans le nord de l'Angleterre en bordure d'une forêt où il y a de magnifiques panoramas, et de magnifiques promenades à faire. C'est une belle ville avec de très beaux monuments historiques et une très belle architecture. J'aime X, d'abord, parce que c'est la ville où je suis né(e).

Ensuite, c'est une ville qui a un château magnifique et beaucoup de magasins intéressants. Et enfin, j'aime beaucoup X parce que c'est une ville qui est très animée, qui bouge culturellement.

Activité 15

1 Dialogue 1 (e), Dialogue 2 (d), Dialogue 3 (b)

2 (a)

Sports	Fréquence
vélo	le dimanche matin
tennis	deux fois par semaine
natation	tous les jeudis

   (b) He works in an office.

3 (a) (ii), (iv), (vi)

   (b) She goes with a friend and Michel looks after the dog.

4 (a) Faux. (Michel **ne** joue **pas d'**instrument de musique.)

   (b) Vrai.

   (c) Faux. (Michel aime le rock des années **soixante-dix**.)

   (d) Faux. (Il **aime** beaucoup de chanteurs français.)

   (e) Faux. (Il **déteste** la musique classique.)

5 (a) Je **fais du** vélo.

      Je **joue au** tennis.

      Je **pratique** aussi la natation.

      Je **vais à** la piscine.

   (b) J'**ai horreur des** films d'épouvante.

      Je **ne supporte pas** ça.

      Je **déteste** ça.

Activité 16

Le père de Michel est à la retraite et pourtant il **pratique/fait** toujours autant d'activités. Le lundi, il **joue** au squash avec un ami et puis il **va** à la salle de gym pendant une heure. Le jeudi, il **fait** du VTT en forêt ou bien des randonnées pédestres. Tous les week-ends, lui et sa femme Fatima vont **jouer** du piano et de la trompette dans un club de jazz. Fatima est presqu'aussi active que son mari. Elle **fait** de l'aqua-gym et **va** souvent marcher avec des amies.

Note that *jouer* is in the infinitive because it follows a verb.

Activité 17

1 Here are some sample sentences which you can compare with your own:

Elle **aime bien** les films d'épouvante/ d'horreur mais elle **déteste** faire les courses. Elle **aime beaucoup** aller au restaurant avec des amis. Elle **a horreur des** voyages organisés. Elle **adore** regarder la télévision et faire la grasse matinée. Elle **déteste** s'occuper du chien et **ne supporte pas** les téléphones portables.

2 Check your answers on the CD and in the transcript.

You could have swapped around *je déteste* and *j'ai horreur de*... You may have used one or the other, or both.

Activité 18

1 cours de piano, guitare et clarinette

2 yoga et tai-chi

3 danse classique pour débutants

4 danse moderne

5 des mini-conférences

Activité 19

Answers will vary, but here is a sample which you can compare with your own:

J'adore le sport. Je fais du squash et du tennis une fois par semaine et je vais à la piscine le jeudi. J'aime beaucoup la natation mais je déteste le rugby et le football. Je joue au badminton avec ma femme/mon mari/un(e) ami(e) tous les dimanches.

J'aime aller au cinéma. J'aime les films d'aventure mais j'ai horreur des comédies. Je vais au cinéma une fois par mois peut-être.

J'adore la musique. J'écoute de la musique tous les jours et j'aime beaucoup le jazz et la musique classique, en particulier l'opéra. J'ai horreur du rap.

Did you remember to use the articles *le/la/les* or *du/de la/des* etc.? These are often omitted in English, but must be included in French (e.g. *J'adore **le** sport* – I love sport).

Activité 20

Here is a sample answer which you can compare with your own:

Salut Robert,

Anna et moi sommes dans les Pyrénées, à Saint-Lary-Soulan. C'est à environ 100 km de Toulouse.

Nous faisons des randonnées deux fois par semaine. Et comme Anna est vraiment très sportive, on prend des cours de ski et de snowboard tous les jours sauf le dimanche. J'adore le snowboard. C'est très amusant. Le soir, nous allons à la piscine dans le centre de relaxation. Il y a même un sauna.

Samedi, nous allons à Toulouse. Je n'aime pas beaucoup les grandes villes et j'ai horreur de faire les magasins, mais Anna cherche une nouvelle paire de chaussures!

À bientôt,

Bises

Activité 21

1 (b)

2 (a) Elle travaille dans un grand magasin, qui vend des vêtements pour femmes.

(b) Elle a occupé trois emplois.

(c) vendeuse dans un magasin de prêt-à-porter, chef de rayon dans une grande boutique, et maintenant acheteuse dans un grand magasin

(d) Elle a un BTS de commerce et une formation en gestion des achats.

3 Here is the completed CV:

Expérience professionnelle

2003–2005 (présent): acheteuse de vêtements pour femmes dans un grand magasin

2000–2003: chef de rayon dans une grande boutique

1996–2000: vendeuse dans un magasin de prêt-à-porter

Formation

1996: BTS de commerce

2001: formation en gestion des achats

4 the present tense and the *passé composé*

5 Quel a été votre premier emploi?

6

Names	Job and/or place of work	Tasks
Pierre	In a hypermarket	Wrapping meat
Colette	Chemist in a food processing factory	Looking after the laboratory
Philippe	Au pair in England	Looking after a seven-year-old boy, (preparing his breakfast, taking him to school, supervising his homework, playing games with him)

7 (a) Pierre

(b) Because he had to get up early; it was cold; he handled meat all day.

(c) They are pleasant because she liked the smells and learnt a lot.

8 the imperfect tense

Activité 22

1 Here is a sample answer which you can compare with your own:

François **a lu** ses courriels. Il **a tapé** des lettres et il **a contacté** des clients. Il **a mangé** à la cantine et l'après-midi, il **est allé** à une réunion où il **a pris** des notes. Et puis plus tard, il **a tapé** le compte-rendu de la réunion. Il **est rentré** à la maison à 6 h 30.

Did you remember to use *être* for the *passé composé* of the verbs *aller* and *rentrer*?

2 Check your answers on the CD and in the transcript.

Activité 23

J'ai 62 ans. J'ai décidé d'arrêter de travailler **il y a** deux ans. Oui, je suis à la retraite **depuis** deux ans! Mais vous savez, j'ai commencé à travailler à 16 ans et quand on a travaillé **pendant** une bonne quarantaine d'années, on est vraiment content de pouvoir arrêter. Ma femme travaille encore. Elle est enseignante dans un lycée **depuis** l'âge de 35 ans et elle adore ça. Elle n'a pas travaillé **pendant** dix ans, entre 25 et 35 ans parce que nous avons eu des enfants. Mais maintenant, **depuis** que je suis à la retraite, je profite de la vie. C'est fantastique.

Activité 24

Here is a sample answer which you can compare with your own:

Quand elle **était** secrétaire, Michelle **lisait** ses courriels. Elle **tapait** des lettres et **contactait** des clients. Elle **mangeait** à la cantine et souvent elle **allait** à des réunions où elle **prenait** des notes. Et puis plus tard, elle **tapait** le compte-rendu des réunions. Elle **rentrait** à la maison à 6 h 30.

Activité 25

1 (a) Karine (je travaille dans la poterie)

Isabelle (dans la boîte où je travaille)

(b) Sylvie (Après [mon bac], je veux faire un BTS...)

Lise (j'ai trouvé ce que j'allais faire: après mon bac, un DUT)

Hélène (Je prépare un BTS...)

2

3 (a) (iv), (b) (iii), (c) (v), (d) (ii), (e) (i)

4 (a) l'entreprise, l'usine

(b) démodé, vieux

(c) Je n'aime pas beaucoup ça. / C'est pas pour moi. / C'est pas ma tasse de thé. (*Note the omission of* ne/n' *in the negative.*)

(d) du travail

(e) mauvaise, pas bonne, pas douée

Note that the expressions in the text are often used by French speakers in informal situations.

Activité 26

Here is a sample answer which you can compare with your own:

Mon premier emploi, c'était dans un pub. J'étais serveur/serveuse. Je servais les clients. Je faisais la vaisselle, ramassais les verres. Je m'occupais aussi du restaurant. Je prenais les commandes et je servais. C'est un bon souvenir. C'était très agréable. Je parlais avec les clients et j'apprenais beaucoup de choses.

Did you remember to use the imperfect tense?

	Qualifications obtenues	Qualifications en préparation	Qualifications en projet
Sylvie		bac F10	BTS microtechniques
Karine	Brevet de technicien céramiste		
Isabelle	DUT transport logistique		
Lise	bac	DUT de maintenance industrielle	
Hélène		BTS conception des produits industriels / CAO	

Activité 27

Answers will vary but make sure you used structures like these:

J'ai travaillé dans le commerce **pendant** dix ans.

J'ai obtenu un poste de technicien **il y a** cinq ans.

Je travaille comme enseignant **depuis** deux ans.

Je réparais des machines.

Je m'occupais des clients.

Activité 28

1   In both cases the purpose of the conversation is to try and arrange to meet someone. Both dialogues also take place over the phone.

2   **Dialogue 1**

(a) To ask her if she wants to go to the cinema.

(b) *Casablanca*

(c) 6.30 pm

(d) Yes. She says she has seen it three times but wouldn't mind seeing it again (*ça me plairait bien de le revoir*).

(e) Marie cannot go.

Dialogue 2

(f) To make an appointment to see a solicitor.

(g) Tuesday 15 at 5.30 pm and Thursday 17 at 5.15 pm.

(h) Madame Dumas makes an appointment.

3   (a) Marie ne peut pas aller au cinéma parce qu'elle travaille jusqu'à **six heures**. Elle doit aussi aller **faire des courses pour sa mère**.

(b) Madame Dumas peut prendre rendez-vous pour le **jeudi** à cinq heures **et**

quart parce que c'est plus pratique et plus **tôt**.

Activité 29

1   Here is a sample answer which you can compare with your own:

Salut Patrick,

Merci! C'est sympa de penser à moi! C'est vraiment dommage mais je ne peux pas. Je dois travailler toute la journée / tout le week-end. Ce n'est vraiment pas possible. Amusez-vous bien!

Val

2   Check your answers on the CD and in the transcript.

Activité 30

Here's an example of what you could have written:

Madame, Monsieur,

J'ai pris rendez-vous avec un avocat pour le jeudi 17 à 17 h 15 mais je préfèrerais prendre rendez-vous pour le mardi 15 à 17 h 30. C'est finalement plus pratique pour moi et c'est aussi plus tôt dans la semaine. Est-ce que ce rendez-vous est encore disponible?

Merci,

Madame Dumas

Activité 31

1   The question could have been one of the following:

Vous êtes pour ou contre la légalisation des drogues douces?

Est-ce qu'il faut légaliser les drogues douces?

Est-ce que vous pensez qu'il faut légaliser les drogues douces?

2

	For	Against	No opinion	Why?
Michel		✓		It's dangerous and we can live without it.
Pascale nothing			✓	It's a difficult question. She knows about the subject.
Thomas	✓			Some drugs aren't dangerous. He wants to keep an open mind. He knows a lot of people who have tried soft drugs and have not become addicted.
Séline		✓		She is afraid for her children. She wouldn't like to see them taking drugs.

3 (a) Je suis contre..., Je pense que..., À mon avis..., Je suis pour..., Je trouve que...

You might have also noticed *je veux rester ouvert* which means 'I want to remain open-minded'.

(b) J'aime mieux...

Activité 32

1 (a) des drogues (*drugs*)

(b) young Europeans

(c) October 2002

2 (a) more than one in four or 28.9%

(b) The percentage of young Europeans who have smoked cannabis in the past month.

(c) 76%: the percentage of young Europeans who believe they can get drugs easily at parties (*dans les soirées*). 54.9%: those who can get drugs at or near to schools (*à l'intérieur ou près des établissements scolaires*).

You might find it useful to practise saying the numbers in this text.

3 (b), (d), (a), (c)

4 Les jeunes consomment **plus** facilement le cannabis que les autres drogues. En Grande Bretagne la situation, en ce qui concerne l'ecstasy et l'héroïne est **plus** grave qu'aux Pays-Bas. C'est **moins** facile de trouver de la drogue près des écoles que dans les soirées. Mais c'est presque toujours **aussi** facile de s'en procurer dans les bars ou les discothèques.

Activité 33

1 Here is a sample answer which you can compare with your own:

> À mon avis, c'est une question compliquée. Je pense qu'il faut connaître le sujet.
>
> Je ne suis pas totalement contre la légalisation de certaines drogues. Je trouve que certaines drogues ne sont pas dangereuses. Mais il y a d'autres drogues qui sont très dangereuses pour la santé, comme l'ecstasy par exemple.
>
> Moi, j'ai des amis qui ont pris des drogues douces, mais ils ne sont pas des drogués!
>
> Alors j'aime mieux rester ouvert.

2 Answers will vary according to your own opinions but try to reuse the expressions highlighted in step 1.

Transcriptions

This is audio CD 6 of the Open University French course, *Bon départ*.

UNIT 11

Extrait 1

Sylviane   Qu'est-ce qu'il y a, Christine?

Christine   Je ne suis pas en forme. J'ai très mal au dos.

Sylviane   Tu travailles trop!

Christine   Oui, je sais, mais j'ai souvent mal au dos. Je crois que c'est à cause de mon accident de ski.

Sylviane   Quel accident de ski?

Christine   J'ai eu un accident pendant mes vacances d'hiver l'année dernière. Je suis tombée. Je me suis fait mal au dos et je me suis cassé le bras droit. Je suis restée à l'hôpital pendant une semaine. J'ai aussi fait de la rééducation.

Sylviane   Et ça ne va pas mieux?

Christine   Mon bras, oui, ça va mieux. J'ai un peu mal quand j'écris trop longtemps mais ce n'est pas grave. Pour mon dos, ça ne va pas vraiment mieux.

Sylviane   Tu devrais aller voir ton médecin.

Christine   Oui, j'ai pris rendez-vous pour demain. Et toi, je ne t'ai pas demandé. Ça va?

Sylviane   Oui, merci, je vais bien. En fait, je peux dire que je suis en forme en ce moment.

Extrait 2

Jacques

Question   Jacques, vous avez eu un accident grave?

Jacques   Oui, j'ai eu un accident de moto.

Question   Très grave?

Jacques   Oui, très grave.

Question   Qu'est-ce qui vous est arrivé?

Jacques   Je me suis cassé les deux bras et les deux jambes.

Question   Il y a longtemps?

Jacques   Il y a vingt ans.

Guillaume

Question   Et vous Guillaume, vous avez eu un accident grave? Un bras, une jambe cassés?

Guillaume   Je me suis cassé le nez.

Question   Vous faisiez de la boxe?

Guillaume   Non, du rugby. En jouant au rugby.

Marc

Question   Marc, vous avez eu un accident grave?

Marc   Grave, pas vraiment, mais l'année dernière je suis tombé d'une échelle et je me suis cassé le bras.

Question   Vous avez eu un plâtre?

Marc   Oui, pendant six semaines.

Annie

Question   Annie, vous avez eu un accident grave?

Annie   Oui, quand j'étais petite je me suis gravement brûlé la main gauche, mais je n'ai pas de problème pour l'utiliser maintenant.

Question   Qu'est-ce qui s'est passé?

Annie   J'ai joué avec des allumettes, comme beaucoup d'enfants...

Extrait 3

Parlez dans les pauses.

(*Say you have back pain.*)

Vous   J'ai mal au dos.

(*Say you have toothache.*)

Vous   J'ai mal aux dents.

(*Say you have a headache.*)

Vous   J'ai mal à la tête.

(*Say you've hurt your knee.*)

Vous   Je me suis fait mal au genou.

(*Say you've burned your finger.*)

Vous   Je me suis brûlé le doigt.

(*Say you've broken your leg.*)

Vous   Je me suis cassé la jambe.

Extrait 4

Mehdi

Mehdi   Pendant la dernière saison de rugby, j'ai eu un accident. Je me suis cassé le nez. Je suis resté à l'hôpital pendant deux jours. Je vais mieux maintenant, mais j'ai le nez tordu.

Sandrine

Sandrine   Je suis tombée dans l'escalier il y a deux mois. J'ai eu mal au dos pendant six mois et j'ai arrêté le sport. J'ai donc grossi. Maintenant ça va mieux, mais j'ai encore un peu mal.

Extrait 5

Le docteur   Bonjour madame, qu'est-ce qui ne va pas?

Christine   Eh bien, j'ai très mal au dos.

Le docteur   Depuis combien de temps?

Christine   J'ai eu un accident de ski l'année dernière et depuis, j'ai mal au dos de temps en temps. Mais depuis deux jours, j'ai très mal.

Le docteur   Je voudrais vous examiner. Effectivement, les muscles sont un peu enflammés. Je vais vous donner une crème.

Christine   Merci, docteur. J'ai aussi très mal à la tête.

Le docteur   Vous êtes un peu pâle aussi.

Christine   Je tousse et j'éternue depuis deux jours.

Le docteur   Je crois que vous avez un gros rhume. Prenez ces comprimés, reposez-vous pendant quelques jours et si vous n'allez pas mieux, revenez me voir.

Christine   Merci, docteur. Au revoir.

Extrait 6

Parlez dans les pauses.

(*Ask Christine what's wrong with her.*)

Vous   Qu'est-ce qui ne va pas?

Christine   J'ai très mal à la tête.

(*Tell her to take some paracetamol.*)

Vous   Prends du paracétamol.

Christine   J'en ai pris il y a deux heures.

(*Tell her to rest for a while if she doesn't feel better.*)

Vous   Repose-toi un moment si tu ne vas pas mieux.

Christine   Je pense que c'est tout simplement un rhume.

(*Say perhaps, but tell her to go back to the doctor's if she doesn't feel better tomorrow.*)

Vous   Peut-être, mais retourne chez le docteur si tu ne vas pas mieux demain.

(*Ask her about her back.*)

Vous   Et ton dos, ça va?

Christine   Oui, pour le moment, mais je voudrais aller à la piscine, et je ne peux pas à cause de ce rhume.

(*Tell her to drink a cup of hot milk this evening.*)

Vous   Bois une tasse de lait chaud ce soir.

(*Tell her to go to bed early.*)

Vous   Couche-toi de bonne heure.

(*Tell her she'll feel better tomorrow.*)

Vous   Ça va aller mieux demain.

Christine   Oui, tu as raison.

Extrait 7

Sylviane   Christine, ça va? Tu n'as pas l'air en forme.

Christine   Non, je dois rentrer chez moi de toute urgence.

Sylviane   Pourquoi est-ce que tu dois rentrer?

Christine   J'ai reçu un coup de téléphone de ma mère.

Sylviane   Quand est-ce qu'elle a appelé?

Christine   Hier soir.

Sylviane   Qu'est-ce qu'il y a?

Christine   Elle s'est cassé le poignet. Ça m'inquiète beaucoup.

Sylviane   Ne t'en fais pas, on va sûrement lui mettre un plâtre.

Christine   Oui, je sais, mais elle vit toute seule.

Sylviane   Depuis combien de temps est-ce qu'elle habite toute seule?

Christine   Depuis la mort de mon père.

Sylviane   Il est mort il y a combien de temps?

Christine   Il y a dix ans maintenant.

Sylviane   Elle a quel âge?

Christine   Elle a soixante-quinze ans et elle est normalement en pleine forme.

Sylviane   Est-ce qu'elle a des amis qui vont pouvoir l'aider?

Christine   Non, la dernière fois qu'elle s'est cassé le poignet, elle est restée chez moi.

Sylviane   Ah bon. Ce n'est pas la première fois? Combien de fois est-ce qu'elle s'est cassé le poignet?

Christine   Deux fois maintenant, son poignet est faible. Je suis désolée mais je dois partir.

Sylviane   Ce n'est pas grave! Ne t'inquiète pas! Et tu pars quand?

Christine   Je vais acheter mon billet cet après-midi et je vais partir ce soir.

Sylviane   On va déjeuner ensemble pour la dernière fois à Avignon?

Christine   D'accord, c'est moi qui t'invite!

Extrait 8

Répondez aux questions.

– Depuis combien de temps est-ce que vous avez le même médecin?

– Combien de fois par an est-ce que vous allez chez le médecin?

– Quand est-ce que vous avez eu votre dernier rhume?

– Est-ce que vous êtes déjà allé(e) à l'hôpital?

– Pourquoi est-ce que vous êtes allé(e) à l'hôpital?

Extrait 9

Répondez aux questions.

Question   Qui contribue à la Sécurité sociale en France?

(*Say all employees and all firms contribute to Social Security.*)

Vous   Tous les salariés et toutes les entreprises contribuent à la Sécurité sociale.

Question   Et on peut choisir son médecin en France?

(*Say yes, French people can choose their doctor.*)

Vous   Oui, les Français peuvent choisir leur médecin.

Question   Quelle est la différence entre un généraliste et un spécialiste?

(*Say a GP treats common illnesses.*)

Vous   Un généraliste soigne les maladies courantes.

(*And a specialist treats less common health problems.*)

Vous   Et un spécialiste soigne les problèmes de santé moins courants.

Question   Et que fait un chirurgien?

(*Say he carries out operations in a hospital.*)

Vous   Il pratique les interventions chirurgicales dans un hôpital.

Question   Et combien faut-il payer si vous êtes hospitalisé(e)?

(*Say the accommodation costs ten euros sixty-seven per day.*)

Vous   L'hébergement coûte dix euros soixante-sept par jour.

(*But an operation is free.*)

Vous   Mais une intervention chirurgicale est gratuite.

Extrait 10

Question   Quels sont les médicaments que vous avez chez vous?

Pierre

Pierre   De l'aspirine et du Normogastryl.

Question   Qu'est-ce que c'est?

Pierre   C'est un médicament pour aider la digestion.

Jean-Claude

Jean-Claude   J'ai de l'aspirine, j'ai quelques somnifères, de l'alcool à quatre-vingt-dix degrés, des sparadraps, et je pense que ma femme a d'autres médicaments que j'ignore.

Colette

Colette   Des médicaments homéopathiques, surtout.

Question   Et de l'aspirine?

Colette   Peut-être. Je crois pas.

Agnès

Agnès   J'ai beaucoup de médicaments pour mes enfants, et pour les adultes j'ai une crème apaisante pour les moustiques, de l'aspirine...

Marc

Marc   En ce moment, j'ai des antibiotiques car j'ai une petite infection, mais j'ai aussi des suppositoires contre le mal de gorge. Ce sont des médicaments donnés sur ordonnance.

Extrait 11

Jean-Claude

Question   Vous êtes souvent malade?

Jean-Claude   Non, pas vraiment, je suis assez rarement malade.

Question   Qu'est-ce que vous attrapez normalement en hiver?

Jean-Claude   De temps en temps j'ai un rhume. J'ai parfois mal au dos. Mais c'est tout.

Question   La grippe?

Jean-Claude   Ou la grippe de temps en temps, oui.

Colette

Question   Vous êtes souvent malade?

Colette   Non. Non, je suis pas souvent malade. J'ai quelquefois mal au dos.

Question   Qu'est-ce que vous attrapez normalement en hiver? Un rhume, la grippe?

Colette   Non, rarement.

Agnès

Question   Vous êtes souvent malade?

Agnès   Depuis que nous habitons en Provence beaucoup moins.

Question   Qu'est-ce que vous attrapez normalement en hiver? Un rhume, la grippe?

Agnès   Voilà, nous avons les enfants qui font beaucoup de problèmes ORL, donc les oreilles, le nez, la gorge. Mon mari est rarement malade. Et moi-même, c'est aussi des problèmes de gorge.

Marc

Question   Vous êtes souvent malade?

Marc   Oui, je souffre de rhumatismes.

Question   Vous allez souvent chez le médecin?

Marc   Oui, au moins une fois par mois.

Annie

Question   Vous êtes souvent malade?

Annie   Non, en général, je vais très bien. Je suis en pleine forme. Je fais beaucoup de sport.

Extrait 12

Le docteur   Bonjour Monsieur Lévy. Qu'est-ce que je peux faire pour vous?

Le patient   Je tousse maintenant depuis une semaine.

Le docteur   Je vais examiner votre gorge. Dites 'aaah!'

Le patient   Aaah!

Le docteur   Ce n'est pas grave, ne vous inquiétez pas. Je vais vous donner des antibiotiques. Êtes-vous allergique à la pénicilline?

Le patient   Non, je ne crois pas.

Le docteur   Très bien. Prenez-vous d'autres médicaments en ce moment?

Le patient   Oui, je prends des antidépresseurs.

Le docteur   Pourquoi prenez-vous des antidépresseurs?

Le patient   Mon travail est un peu difficile et je souffre de stress.

Le docteur   Avez-vous essayé d'autres méthodes pour vous relaxer, comme le yoga ou la méditation?

Le patient   Oui, mais je ne trouve pas que c'est très efficace pour moi.

Le docteur   Continuez quand même. C'est meilleur pour la santé. Pour le mal de gorge, vous allez aller mieux dans quelques jours. Prenez cette ordonnance et revenez me voir dans deux semaines.

Le patient   Merci docteur. À bientôt!

Extrait 13

Agnès

Agnès   Il faut bien dormir, il faut manger sainement, il faut être heureux.

Philippe

Philippe   Il faut faire du sport, manger équilibré, et être le plus joyeux possible.

Pascal

Pascal   Pour être toujours en forme, il faut bien manger et pratiquer du sport.

Jean-Claude

Jean-Claude   Il faut avoir de la liberté, un bon métier et bien dormir.

Lionel

Lionel   Oui, je pense que pour être en bonne santé il faut d'abord se lever avec le sourire.

Extrait 14

Pierre

Question   Est-ce que vous fumez?

Pierre   Je ne fume plus.

Question   Pourquoi?

Pierre   Je n'aime plus cela.

Lionel

Lionel   Oui, je fume.

Question   Depuis longtemps?

Lionel   Oui, ça fait déjà quinze ans... dix ans que je fume.

Colette

Colette   Je ne fume plus, mais j'ai fumé.

Question   Donnez-moi vos raisons d'arrêter.

Colette   Alors, je n'avais, moi, aucun problème quand je fumais, mais je pense que c'est tout à fait nocif pour la santé.

Maryse

Maryse   Non, je ne fume pas.

Question   Vous n'avez jamais fumé?

Maryse   Si. Quand j'étais adolescente, j'ai fumé.

Question   Combien de cigarettes?

Maryse   À l'époque, je fumais environ dix cigarettes par jour.

Question   Et vous vous êtes arrêtée de fumer?

Maryse   Et je me suis arrêtée de fumer quand j'étais enceinte de ma première fille.

Mehdi

Mehdi   Moi, je n'ai jamais fumé. Je n'ai jamais aimé cela, et je trouve que c'est très mauvais pour la santé.

Extrait 15

Répondez aux questions.

Question   Vous fumez?

(*Say you no longer smoke.*)

Vous   Je ne fume plus.

Question   Vous avez fumé pendant longtemps?

(*Say for about ten years.*)

Vous   Pendant une dizaine d'années.

Question   Pourquoi est-ce que vous vous êtes arrêté(e)?

(*Say you think it's very bad for one's health.*)

Vous   Je pense que c'est très mauvais pour la santé.

Question   Vous faites du yoga?

(*Say no, you've never tried it.*)

Vous   Non, je n'ai jamais essayé.

Question   Et qu'est-ce que vous faites pour vous détendre?

(*Say you never relax – you don't have the time!*)

Vous   Je ne me détends jamais – je n'ai pas le temps!

Question   Mais est-ce que vous sortez le soir?

(*Say you don't go out any more.*)

Vous   Je ne sors plus.

Question   Je peux vous demander pourquoi?

(*Say that you never liked going out.*)

Vous   Je n'ai jamais aimé sortir.

Extrait 16

Edwige   Alors, comment ça va, Mehdi?

Mehdi   Bof, pas très bien. Je suis fatigué, je dors mal, je ne fais plus de sport – je ne sais pas ce qui se passe en ce moment.

Edwige   Eh bien, si tu es fatigué, tu devrais te reposer un peu plus.

Mehdi   Si seulement! Mais j'ai trop de travail!

Edwige   Et si tu dors mal, tu devrais te coucher de bonne heure le soir. As-tu essayé de faire une petite promenade après le repas, par exemple?

Mehdi   Non – je devrais faire plus d'exercice, je sais. Mais c'est difficile.

Edwige   Peut-être que tu devrais aller voir ton médecin.

Mehdi   Non, je ne vais jamais voir le médecin – je ne suis jamais malade!

Edwige   Et si tu prenais quelques jours de vacances au bord de la mer? Ça fait du bien, tu sais. Tu devrais essayer!

Mehdi   Bof...!

Extrait 17

Dialogue 1

Jean-Pierre   Tu devrais arrêter – c'est très mauvais pour la santé, tu sais.

Anaïs   Oui, mais j'ai déjà essayé il y a deux ans.

Dialogue 2

Philippe   Vous devriez vous coucher de bonne heure.

Anita   Je ne dors pas avant une heure du matin, alors je regarde toujours la télé.

Dialogue 3

Jacques   Alors, vous devriez faire un régime. Vous avez déjà essayé?

Louise   Non, je n'ai jamais fait de régime. J'adore faire la cuisine, alors c'est difficile!

Dialogue 4

Edwige   Alors, essaie de faire du sport. C'est vital pour la santé. Mais il faut trouver le temps pour ça.

Mehdi   Ben, je fais des journées chargées – et le soir j'ai envie de me reposer.

Extrait 18

Christian, Marc et Coralie

Question   Christian, est-ce que vous pensez qu'il faut interdire de fumer dans les lieux publics?

Christian   Non, absolument pas. Je suis fumeur et, à mon avis, c'est contre la liberté.

Question   Et vous, Marc, quel est votre avis?

Marc   Moi, je suis pour. Je suis non-fumeur et je trouve que la fumée, c'est très désagréable surtout dans les lieux publics comme les restaurants.

Question   Et vous, Coralie?

Coralie   Je ne sais pas. Je ne fume pas, mais en fait, la fumée ne me dérange pas vraiment.

Mélanie et Romain

Question   Mélanie, à votre avis, est-ce qu'on doit arrêter de manger de la viande?

Mélanie   Oui, tout à fait! Aujourd'hui, on peut manger sainement sans manger de viande.

Question   Et vous Romain, qu'est-ce que vous en pensez?

Romain   Je suis un gros mangeur de viande. À mon avis il faut continuer à manger de la viande.

Maria, Sophie et Mehdi

Question   Maria, est-ce que vous pensez que grâce à Internet, on devrait arrêter d'imprimer sur du papier?

Maria   Ça va pas, non? Je ne suis pas d'accord. Tout le monde n'a pas un ordinateur! Et en plus, ça dérange les gens de lire sur un écran.

Question   À votre avis, Sophie?

Sophie   Je suis pour. C'est plus écologique: ça évite de couper des arbres.

Question   Et vous, Mehdi?

Mehdi   Moi? Ça m'est égal.

Extrait 19

Vincent   Mes parents fument mais pas moi. Je suis plutôt sportif: je fais des compétitions de natation et je m'entraîne cinq fois par semaine à la piscine. Je fais aussi un peu de vélo en amateur, le week-end. Côté loisirs, j'adore le cinéma français des années quarante. Je suis inscrit dans un club de ciné.

Extrait 20

Question   Êtes-vous pour les médecines douces?

Hubert Oui, je suis tout à fait pour.

Question Vous vous soignez par homéopathie? Par les plantes?

Hubert Plutôt par homéopathie.

Question Est-ce que ça marche, l'acupuncture?

Hubert Peut-être, mais ça ne marche pas avec moi.

Question Avez-vous essayé la thalassothérapie?

Hubert Oui, j'ai essayé une fois et j'ai trouvé ça bien.

Question À votre avis, est-ce un remède?

Hubert Non, c'est plutôt une manière de se reposer, d'être en forme.

Extrait 21

Dialogue 1

Mélanie Il fait quoi pour les vacances?

Romain Il va à Venise avec sa femme.

Dialogue 2

Coralie Pensez-vous que le vin est mauvais pour la santé?

Christian Non, mais c'est comme tout, il ne faut pas en boire trop.

Dialogue 3

Mehdi Comment fais-tu pour être toujours si mince?

Maria Je fais de la gym deux fois par semaine.

Dialogue 4

Sophie Est-ce qu'il faut prendre des vêtements chauds?

Christian Non, en ce moment, c'est l'été au Brésil.

Dialogue 5

Mehdi Pourquoi est-ce que je n'arrive pas à courir vite?

Maria Parce que tu ne t'entraînes pas assez.

Extrait 22

Posez des questions à Jérémie.

(*Ask him his name.*)

Vous Quel est votre nom?

Jérémie Je m'appelle Jérémie Fantoni.

(*Ask him to spell it.*)

Vous Pouvez-vous l'épeler, s'il vous plaît?

Jérémie F–A–N–T–O–N–I

(*Ask him if he's married.*)

Vous Êtes-vous marié?

Jérémie Oui, depuis six ans.

(*Ask him if he has any children.*)

Vous Avez-vous des enfants?

Jérémie Oui, j'en ai deux: un garçon et une fille.

(*Ask him where he lives.*)

Vous Où habitez-vous?

Jérémie J'habite à Montpellier.

Extrait 23

Le docteur Ça fait longtemps que vous dormez mal?

Fatou Ça va faire deux mois, maintenant.

Le docteur Vous commencez à quelle heure le matin?

Fatou À neuf heures. Mais j'ai cinquante minutes de train.

Le docteur Vous travaillez toujours pour cette société d'assurances?

Fatou Oui. Mais maintenant, je suis responsable de l'agence.

Le docteur C'est bien. Mais vous travaillez plus?

Fatou Oui, je termine plus tard. Je ne suis

pas rentrée avant vingt heures depuis que j'ai ce nouveau poste.

Le docteur Vous mangez bien? Qu'est-ce que vous prenez le soir?

Fatou Ah – cela fait quatre jours que je n'ai rien mangé chez moi le soir.

Le docteur Pourquoi?

Fatou Parce que je vais souvent au restaurant avec des clients le midi. Avant, je déjeunais léger.

Le docteur Vous faites toujours du vélo?

Fatou Non! Ça fait quelques semaines que je n'ai pas fait de sport.

Le docteur Et le week-end, vous vous reposez un peu?

Fatou Oh non, pas vraiment! En fait, je travaille à la maison.

Le docteur Oui, je vois. Je crois que vous devriez vivre plus sainement.

Fatou Mais comment?

Extrait 24

Virginie Moi, je suis tout à fait pour. Je pense que les enfants mangent trop de sucre, et que c'est très mauvais pour la santé. Quand j'étais petite, mes parents me donnaient beaucoup de légumes et de fruits. Mais maintenant, les enfants veulent toujours manger des bonbons et boire des boissons sucrées, et je ne supporte pas toute cette publicité à la télévision et dans les magazines.

Philippe Oh, je ne sais pas, Virginie. Je trouve que les enfants mangent sainement et bien équilibré en général. Il ne faut pas tout interdire, tu sais. Moi, je ne suis pas contre la publicité pour les boissons sucrées. Il faut respecter la liberté individuelle. À mon avis, les parents sont responsables et doivent montrer le bon exemple à leurs enfants.

Virginie Oui, je suis d'accord avec toi. Mais tu ne penses pas que les enfants risquent de devenir obèses si on ne fait rien? Je n'ai jamais aimé les boissons sucrées moi-même et je ne supporte pas les gens qui disent que ce n'est pas nocif pour la santé!

Extrait 25

Parlez dans les pauses.

Virginie Et vous, vous êtes pour ou contre la publicité pour les boissons sucrées?

(*Say you don't know – you don't mind.*)

Vous Je ne sais pas. Ça m'est égal.

(*Say that when you were young, you often ate sweets…*)

Vous Quand j'étais jeune je mangeais souvent des bonbons…

(*… but you never liked sweet drinks.*)

Vous … mais je n'ai jamais aimé les boissons sucrées.

(*Say you are against advertising of tobacco and alcohol…*)

Vous Je suis contre la publicité pour le tabac et l'alcool…

(*… but you don't think that sweets are bad for children.*)

Vous … mais je ne pense pas que les bonbons sont mauvais pour les enfants.

Virginie Oui, mais il y a un grand problème d'obésité de nos jours, non?

(*Say you agree with her, but you think that the parents are responsible…*)

Vous Je suis d'accord avec vous, mais je trouve que les parents sont responsables…

(*… and if the parents eat healthily, their children can follow their example.*)

Vous … et si les parents mangent sainement, leurs enfants peuvent suivre leur exemple.

(*Say that children must also do a lot of sport to be fit.*)

Vous Les enfants doivent aussi faire beaucoup de sport pour être en forme.

UNIT 12

Extrait 26

Dialogue 1

La cliente   Le premier train pour Pau part à quelle heure, s'il vous plaît?

L'employé   À sept heures dix, madame. Départ Paris Montparnasse.

La cliente   C'est un peu tôt, peut-être.

L'employé   Vous avez le prochain à huit heures vingt-deux, mais il n'est pas direct.

La cliente   Où est-ce que je dois changer?

L'employé   À Bordeaux. Alors, arrivée à Bordeaux à onze heures vingt-cinq et départ pour Pau à douze heures zéro deux.

La cliente   Très bien. C'est bien un TGV jusqu'à Bordeaux?

L'employé   Oui, madame. Est-ce que je vous réserve une place?

La cliente   Oui, s'il vous plaît.

Dialogue 2

Le serveur   Alors, qu'est-ce que vous prenez, mesdames?

La première cliente   Pour moi, une salade de tomates mozarella en entrée, et puis... euh, le saumon grillé et ses petits légumes.

La deuxième cliente   Moi, j'aimerais un carpaccio de thon pour commencer et la sole meunière, s'il vous plaît.

La première cliente   On prend un demi de vin rosé?

La deuxième cliente   Tu ne préfèrerais pas du blanc avec le poisson?

La première cliente   Et ben oui. Allez, alors un demi de blanc sec, s'il vous plaît. Et nous voudrions aussi une carafe d'eau.

Dialogue 3

Monsieur Dumas   Bonjour. Je suis Monsieur Dumas. Je viens pour la conférence sur l'énergie solaire.

L'employé   Bonjour, monsieur. C'est dans la salle C123. Il faut prendre l'ascenseur jusqu'au troisième étage. Ensuite, vous allez à droite jusqu'au bout du couloir. Là, vous devez tourner à gauche. La salle C123 est sur votre gauche.

Monsieur Dumas   Alors, en sortant de l'ascenseur, il faut aller à droite et je tourne à gauche, c'est bien ça?

L'employé   Oui, monsieur. Au bout du couloir à gauche.

Extrait 27

Posez les questions.

(*Ask her where she's going.*)

Jean-Pierre   Où est-ce que tu vas?

Julie   À Chamonix.

(*Ask her when she's leaving.*)

Jean-Pierre   Quand est-ce que tu pars?

Julie   Ben, je pars dimanche.

(*Ask her how she's travelling. By train?*)

Jean-Pierre   Tu voyages comment? En train?

Julie   Oui, c'est plus pratique.

(*Ask her what time her train is.*)

Jean-Pierre   Ton train est à quelle heure?

Julie   À huit heures dix.

(*Ask her how long she's staying in Chamonix.*)

Jean-Pierre   Combien de temps est-ce que tu restes à Chamonix?

Julie   Euh... une quinzaine de jours.

(*Ask her what she is going to do. Go skiing?*)

Jean-Pierre   Qu'est-ce que tu vas faire? Du ski?

Julie Bien sûr, tu parles!

Extrait 28

Bernard Bon, on est sur le boulevard Leclerc. Qu'est-ce que je fais maintenant?

Audrey Tu tournes à gauche et tu continues tout droit jusqu'aux feux.

Bernard Et là, il faut tourner à droite, non?

Audrey Non! Tu dois tourner à gauche et prendre la première rue à gauche.

Extrait 29

Parlez dans les pauses.

Le serveur Qu'est-ce que vous prenez?

(*Say you would like a tomato and mozzarella salad to start with.*)

Vous Je voudrais une salade de tomates mozzarella pour commencer.

(*And then the vegetable lasagne.*)

Vous Et puis, les lasagnes de légumes.

Le serveur Et comme boisson?

(*Say you would like an orange juice.*)

Vous J'aimerais un jus d'orange.

Extrait 30

Parlez dans les pauses.

(*Ask her what she's having.*)

Vous Qu'est-ce que tu prends?

Julie Un steak-frites. Et toi?

(*Say you would like chicken with chips.*)

Vous Je voudrais un poulet-frites.

Julie On prend du vin blanc?

(*Ask her if she wouldn't prefer red wine.*)

Vous Tu ne préférerais pas du vin rouge?

Julie Comme tu veux.

(*Ask her when she's going to Nice.*)

Vous Quand est-ce que tu vas à Nice?

Julie Euh... vendredi.

(*Ask her if she's going by train.*)

Vous Tu pars en train?

Julie Oui.

(*Ask her what time she arrives in Nice.*)

Vous À quelle heure est-ce que tu arrives à Nice?

Julie À six heures et demie.

Extrait 31

Philippe

Question Comment vous vous appelez?

Philippe Je m'appelle Philippe.

Question Vous êtes français?

Philippe Je suis français.

Question Et vous êtes d'où?

Philippe Je suis né à La Rochelle, un joli port de pêche.

Question Qu'est-ce que vous faites dans la vie?

Philippe Je suis militaire.

Maryse

Question Comment vous vous appelez?

Maryse Je m'appelle Maryse.

Question Ça s'écrit comment?

Maryse M-A-R-Y-S-E.

Question Vous êtes française?

Maryse Je suis née en France.

Question Vous êtes d'où?

Maryse Je suis de Besançon.

Question Qu'est-ce que vous faites dans la vie?

Maryse Je suis assistante maternelle.

Question C'est quoi exactement?

Maryse   Mon métier consiste à garder des enfants à mon domicile.

Francis

Question   Comment vous vous appelez?

Francis   Francis.

Question   Vous êtes français?

Francis   Oui.

Question   Vous êtes d'où?

Francis   Je suis né dans le département de la Marne.

Question   Qu'est-ce que vous faites dans la vie?

Francis   Je suis employé de banque, bientôt à la retraite.

Extrait 32

Philippe

Question   Vous pouvez me décrire La Rochelle?

Philippe   Oui. La Rochelle est une petite ville en bord de mer avec beaucoup de monuments historiques.

Question   Et vous aimez La Rochelle?

Philippe   J'aime beaucoup, oui.

Question   Pourquoi?

Philippe   Premièrement parce que c'est ma ville natale. Deuxièmement parce que... elle est en bord de mer, j'aime beaucoup la mer et troisièmement parce que l'été elle est très animée. Il y a beaucoup de touristes.

Maryse

Maryse   Besançon est une ville d'environ 100 000 habitants. C'est une ville située sur le Doubs.

Question   Le Doubs, c'est une rivière?

Maryse   Le Doubs, c'est une rivière.

Question   Comment ça s'écrit?

Maryse   D-O-U-B-S. Le centre-ville de Besançon est fortifié.

Question   Et donc, c'est le cœur historique de la ville qui est au milieu des remparts?

Maryse   Tout à fait. J'aime beaucoup Besançon, malheureusement je... je n'y vais plus souvent.

Question   Pourquoi?

Maryse   Parce que je n'habite plus Besançon.

Question   Et c'est loin?

Maryse   Et c'est loin de chez moi.

Question   Donnez-moi trois raisons d'aimer Besançon.

Maryse   D'abord, j'aime Besançon parce que c'est la ville où je suis née. Ensuite, c'est une ville qui a... euh... un fort caractère. Et enfin, parce que c'est une ville qui bouge... euh... culturellement.

Francis

Francis   Je suis né à Sainte-Ménehould, en Champagne.

Question   Vous aimez Sainte-Ménehould?

Francis   J'adore Sainte-Ménehould.

Question   Donnez-moi trois raisons d'aimer cette ville.

Francis   D'abord cette ville est située en Champagne, donc on y consomme du champagne. Ensuite, c'est une ville qui est située en bordure de la forêt d'Argonne, forêt où il y a eu, on le sait, de nombreux combats pendant la guerre 14–18 mais qui est une très, très belle forêt où on trouve des champignons, où aujourd'hui, il y a de magnifiques panoramas, et de magnifiques promenades à faire. Et la troisième raison, c'est que c'est une ville magnifique avec de très beaux monuments et une très belle architecture.

Extrait 33

Répondez aux questions.

— Comment vous vous appelez?

— Vous êtes de quelle nationalité?

— Et vous êtes d'où exactement?

— Vous avez quel âge?

— Où est-ce que vous habitez?

— Vous avez des frères et des sœurs?

— Et qu'est-ce que vous faites dans la vie?

Extrait 34

Parlez dans les pauses.

Question Vous êtes d'où?

(*Say you were born in Bordeaux.*)

Vous Je suis né(e) à Bordeaux.

Question Vous pouvez me décrire Bordeaux?

(*Say it's a big town and also a big port.*)

Vous C'est une grande ville et aussi un grand port.

(*Say it's a city which is situated about ninety kilometers from the Atlantic coast.*)

Vous C'est une ville qui est située à environ quatre-vingt-dix kilomètres de la côte atlantique.

Question Donnez-moi trois raisons d'aimer Bordeaux.

(*Say first it's near the sea and you like the sea a lot.*)

Vous D'abord, c'est à proximité de la mer et j'aime beaucoup la mer.

(*Say it's a splendid city with very beautiful monuments and very beautiful architecture.*)

Vous C'est une ville magnifique avec de très beaux monuments et une très belle architecture.

(*Say and Bordeaux is a city which is situated in a region famous for its wines.*)

Vous Et Bordeaux est une ville qui se trouve dans une région célèbre pour ses vins.

Extrait 35

Dialogue 1

Question Qu'est-ce que vous faites comme sport?

Michel Je fais du vélo le dimanche matin. Je joue au tennis et je pratique aussi la natation.

Question Vous êtes très sportif, alors.

Michel En effet. Mais vous savez quand on passe ses journées dans un bureau, c'est essentiel de prendre le temps de bouger.

Question Vous faites du tennis souvent?

Michel Oui, deux fois par semaine et je vais à la piscine avec des collègues tous les jeudis.

Dialogue 2

Question Vous aimez aller au cinéma?

Michel J'adore! Je vois tous les grands films qui sortent avec ma femme.

Question Qu'est-ce que vous aimez comme films?

Michel J'aime beaucoup les films d'action, d'aventure et les comédies. Mais j'ai horreur des films d'épouvante. Je ne comprends pas pourquoi les gens aiment avoir peur. Moi, je ne supporte pas ça.

Question Et votre femme?

Michel Elle, elle aime bien ce genre de films! Alors, quand il y en a un qui sort, elle va le voir avec une amie et moi je m'occupe du chien!

Dialogue 3

Question Vous jouez d'un instrument de musique?

Michel Non, je ne suis pas du tout quelqu'un de musical.

Question   Et votre femme?

Michel   Elle joue du piano et de la guitare. Elle chante aussi.

Question   Bien?

Michel   Oui, elle a une très belle voix.

Question   Vous aimez quel type de musique?

Michel   J'aime bien le rock des années soixante-dix et aussi beaucoup de chanteurs français.

Question   Comme qui?

Michel   Brassens, Aznavour, Polnareff, Bashung...

Question   Et la musique classique, ça vous plaît?

Michel   Ah non, pas du tout. Je déteste ça et je n'y connais rien, d'ailleurs.

Extrait 36

Parlez dans les pauses.

Question   Qu'est-ce que vous aimez faire?

(*Say you like going to restaurants with friends.*)

Vous   J'aime bien aller au restaurant avec des amis.

Question   Et vous aimez aller au cinéma aussi?

(*Say you like horror films a lot.*)

Vous   J'aime beaucoup les films d'horreur.

Question   Le dimanche, qu'est-ce que vous faites normalement?

(*Say you love having a lie-in.*)

Vous   J'adore faire la grasse matinée.

Question   Qu'est ce que vous n'aimez pas?

(*Say you don't like shopping much.*)

Vous   Je n'aime pas beaucoup faire les courses.

(*Say you hate looking after the dog.*)

Vous   Je déteste m'occuper du chien.

Question   Autre chose encore?

(*Say you hate mobile phones.*)

Vous   J'ai horreur des téléphones portables.

Extrait 37

Question   Qu'est-ce que vous faites dans la vie?

Cécile   Je suis acheteuse pour un grand magasin.

Question   Et vous achetez quoi?

Cécile   J'achète des vêtements pour femmes.

Question   Depuis combien de temps?

Cécile   Depuis deux ans.

Question   Qu'est-ce qu'on doit faire pour devenir acheteuse?

Cécile   Eh bien, moi j'ai fait un BTS de commerce et puis tout de suite j'ai trouvé du travail comme vendeuse dans un magasin de prêt-à-porter.

Question   Pendant combien de temps est-ce que vous avez fait ça?

Cécile   J'ai été vendeuse pendant euh... quatre ans je crois. Et puis, il y a cinq ans, j'ai trouvé un emploi comme chef de rayon dans une grande boutique de vêtements. Et là, après un an, on m'a proposé de faire une formation en gestion des achats.

Question   Et vous l'avez faite?

Cécile   Oui, bien sûr. Et deux ans après cette formation je suis allée à un entretien et j'ai obtenu le poste que j'occupe actuellement.

Extrait 38

Pierre

Question   Quel a été votre premier emploi?

Pierre   Je travaillais dans une grande surface et je m'occupais d'emballer de la viande.

Question Vous en gardez un bon ou un mauvais souvenir?

Pierre Un très mauvais souvenir. Je me levais tôt, il faisait froid et j'avais les mains dans la viande toute la journée.

Colette

Question Quel a été votre premier emploi?

Colette J'étais chimiste et je m'occupais du labo dans un... une usine qui fabriquait des produits pour l'alimentation.

Question Vous en gardez un bon ou un mauvais souvenir?

Colette Non, j'en garde un bon souvenir.

Question Pour quelle raison?

Colette Ben, c'était très agréable, c'était plein d'odeurs agréables, puis je découvrais plein de choses.

Philippe

Question Quel a été votre premier emploi?

Philippe Mon premier emploi était garçon au pair, en Angleterre. Je m'occupais d'un garçon de sept ans. Je lui préparais le petit déjeuner, je l'emmenais à l'école, je lui faisais faire ses devoirs le soir et je jouais avec lui.

Question Vous en gardez un bon ou un mauvais souvenir?

Philippe Un très bon souvenir.

Extrait 39

Parlez dans les pauses.

Question Qu'est-ce que vous avez fait aujourd'hui?

(*Say you read your e-mails.*)

Vous J'ai lu mes courriels.

(*Say you typed letters.*)

Vous J'ai tapé des lettres.

(*Say you got in touch with clients.*)

Vous J'ai contacté des clients.

(*Say you ate at the canteen.*)

Vous J'ai mangé à la cantine.

(*Say you went to a meeting.*)

Vous Je suis allé à une réunion.

(*Say you took notes and typed the minutes of the meeting.*)

Vous J'ai pris des notes et j'ai tapé le compte-rendu de la réunion.

Question À quelle heure est-ce que vous êtes rentré chez vous?

(*Say you went home at 6.30.*)

Vous Je suis rentré à la maison à six heures et demie.

Extrait 40

Dialogue 1

Sylvie Allô Marie? C'est Sylvie.

Marie Salut, ça va?

Sylvie Bien, et toi?

Marie Très bien, merci.

Sylvie Dis, Marc et moi, nous allons au cinéma demain soir. Est-ce que ça te tente? Tu veux venir avec nous?

Marie C'est sympa de penser à moi! Qu'est-ce que vous allez voir?

Sylvie Un vieux film en version originale qui s'appelle *Casablanca*. Tu connais?

Marie Ah oui, c'est super! Je l'ai vu trois fois mais ça me plairait bien de le revoir. Mais attends, tu dis demain soir. À quelle heure?

Sylvie Six heures et demie.

Marie Ah, c'est vraiment dommage mais je ne peux pas. Je travaille jusqu'à six heures et après je dois aller faire des courses pour ma mère.

Sylvie Bon, tant pis. Une autre fois, peut-être.

Marie   Oui, j'espère. Cette fois-ci c'est vraiment pas possible. Amusez-vous bien.

Dialogue 2

L'employé   Cabinet Chaumont à l'appareil. Bonjour.

Madame Dumas   Oui, bonjour. Euh… je voudrais prendre rendez-vous avec un avocat s'il vous plaît.

L'employé   Oui madame. C'est urgent?

Madame Dumas   Oui euh… assez. Euh… je préfèrerais avoir un rendez-vous dans la semaine si c'est possible.

L'employé   Alors, je peux vous proposer un rendez-vous le mardi 15 à dix-sept heures trente ou bien plus tard dans la semaine, le jeudi 17 à dix-sept heures quinze.

Madame Dumas   Euh… le jeudi, c'est plus pratique pour moi parce que je finis moins tard que d'habitude. Vous dites dix-sept heures quinze, c'est bien ça?

L'employé   Oui, madame. Vous pouvez me donner votre nom, s'il vous plaît?

Madame Dumas   Je suis Madame Dumas.

Extrait 41

Parlez dans les pauses.

Patrick   Salut! C'est Patrick.

(*Say hello and ask him how he is.*)

Vous   Salut Patrick. Ça va?

Patrick   Bien et toi?

(*Say you are very well.*)

Vous   Très bien.

Patrick   Dis, on va faire une randonnée en montagne, ce week-end. Ça te tente? Tu veux venir avec nous?

(*Say thanks, that's nice.*)

Vous   Merci, c'est sympa.

(*Say you can't unfortunately.*)

Vous   Je ne peux pas malheureusement.

(*Say you have to work all day.*)

Vous   Je dois travailler toute la journée.

Patrick   C'est vraiment dommage!

(*Say yes but it's really not possible.*)

Vous   Oui, mais ce n'est vraiment pas possible.

Extrait 42

Michel   Je suis contre. Je pense que c'est dangereux pour la santé. On peut très bien vivre sans ça. Et toi, Pascale?

Pascale   À mon avis, euh… c'est une question compliquée. J'aime mieux ne pas répondre parce que je n'y connais rien. Qu'est-ce que tu en penses, Thomas?

Thomas   Je suis pour la légalisation des drogues douces. Je trouve que certaines drogues sont vraiment pas dangereuses. Et puis même si c'est pas mon truc, je veux rester ouvert. Je connais beaucoup de gens bien qui ont fumé un joint et ne sont pas devenus des drogués. Et vous, Séline?

Séline   Moi, je pense que tout ça devrait être interdit. J'ai peur pour mes enfants. Ils sont encore jeunes mais je ne voudrais pas les voir prendre des drogues.

Acknowledgements

Grateful acknowledgement is made to the following sources for permission to reproduce material in this book:

Photographs

Cover: Copyright © Hélène Mulphin.

Pages 5, 45, 48, 87, 94: Copyright © Hélène Mulphin; *pages 14, 37, 46*: Copyright © Barbara Scrivener; *pages 15, 29, 38 (right), 52 (bottom)*: Copyright © 1995 PhotoDisc, Inc.; *pages 18, 24, 33, 71, 77, 78, 83*: Copyright © Neil Broadbent; *page 19*: Les Invalides, The Hector Berlioz website, (www.hberlioz.com); *page 30*: Copyright © Monique Broadbent; *pages 38 (left), 44, 52 (top), 53*: Neil Broadbent and Graham Bishop.

Every effort has been made to contact copyright owners. If any have been inadvertently overlooked, the publishers will be pleased to make the necessary arrangements at the first opportunity.